AU SECOURS, JE VAIS EXPLOSER !

Guide de survie pour coléreux chronique

D1531095

LISA BEVERE

L'original a été publié en anglais par Nelson Publishers, Nashville, Tennessee,
sous le titre <u>Be angry but don't blow it</u>.
Copyright © 2000 par Lisa Bevere.
Tous droits réservés.

Copyright © 2001 de l'édition française
par les **Éditions Ministères Multilingues**
Longueuil (Québec), Canada.
Tous droits réservés.

Traduction : Aline Neuhauser
Couverture : CommUnivers
Mise en page : Lucie Cléroux

*Sauf indication contraire, les textes bibliques sont tirés
de la Bible version Louis Segond, nouvelle édition de Genève 1979.*

Dépôt légal - Bibliothèque nationale du Québec, 2001.
Dépôt légal - Bibliothèque nationale du Canada, 2001.

Imprimé au Canada.

Données de catalogage avant publication (Canada)

Bevere, Lisa

   Au secours je vais exploser ! : guide de survie pour coléreux chronique

   Traduction de : Be angry, but don't blow it.

   ISBN : 2-921335-77-8

   1. Chrétiennes - Vie religieuse. 2. Colère - Aspect religieux - Christianisme. I. Titre

BV4527.B49314 2001   248.8'43   C2001-940299-6

REMERCIEMENTS

Je remercie du fond du cœur Victor Oliver et Cindy Blades pour leur soutien et leur patiente contribution à ce projet.

Mes chers fils, vous êtes chacun un précieux don de Dieu. Puissiez-vous rester toujours passionnés tout en sachant vous maîtriser. Je vous aime d'une façon inexprimable.

John, tu as toujours été si compréhensif et encourageant ! Tu as vraiment été un fidèle et véritable ami pour moi. Tu m'as parfois blessé par ta franchise, mais toujours guéri par ton amour.

Jésus, quand je suis faible, tu es vraiment fort. Merci d'avoir changé les points faibles de ma vie en triomphes. Tu as pris mes ténèbres et tu m'as donné ta lumière. Je t'en serai toujours reconnaissante.

INTRODUCTION

P eut-être avez-vous déjà entendu le vieux proverbe :
« Médecin, guéris-toi toi-même ». Trop souvent,
certaines personnes essaient d'inculquer aux autres un
style de vie auquel elles n'adhèrent pas elles-mêmes. Peut-être
s'agit-il d'un problème auquel elles n'ont jamais été confrontées, ou
d'une vérité qu'elles connaissent en théorie, mais qu'elles n'ont
jamais mise en pratique, si bien qu'elles n'ont pas eu l'occasion
d'éprouver personnellement l'efficacité de leurs affirmations.

D'autres apprennent aux gens à temporiser avec leurs fautes. Le
problème est moins aigu, mais sa racine est toujours là. La seule
solution qu'ils proposent est de cohabiter avec le péché. Mais le
Seigneur, lui, veut nous en libérer !

Je puis vous affirmer que Lisa, quant à elle, croit en la puissance
de l'Évangile et a été transformée par elle. Cela fait près de dix-huit
ans que nous sommes mariés et, dès le début de ce livre, vous
pourrez constater qu'elle avait un caractère si impétueux que,
parfois, c'en était effrayant.

Dans cet ouvrage, Lisa ne se cantonne pas à son cas personnel,
mais je peux vous affirmer que depuis plus de dix ans, elle est
totalement transformée, et que sa vie est très différente. Moi qui vis
avec elle, je suis le mieux placé pour témoigner qu'il ne s'agit pas

d'un changement superficiel. Je puis vous dire franchement que depuis le jour où ses yeux se sont ouverts jusqu'à maintenant, jamais plus elle n'a explosé de rage. Et pourtant, elle a parfois été confrontée à des situations très difficiles, qui auraient fait perdre leur calme à des femmes moins impétueuses qu'elle. J'ai été personnellement témoin de la puissance de Dieu à l'œuvre dans sa vie. Ce changement n'a pas eu lieu au cours d'une réunion ou d'un appel à la délivrance, mais pendant sa prière personnelle. Les Écritures déclarent : « Mon peuple sera déporté, car il n'a rien compris » (Ésaïe 5.13, Bible en français courant). Vous avez entre les mains un trésor de connaissance qui vous vient de la Parole de Dieu. Et il aspire à faire pour vous la même chose que pour Lisa.

J'aime profondément Lisa et j'éprouve un grand respect pour elle. C'est vraiment ma meilleure amie, mais je sais que son amour pour le Seigneur surpasse de beaucoup notre excellente relation conjugale. Elle est vraiment un disciple du Seigneur Jésus-Christ.

Que Dieu vous ouvre les yeux lorsque vous lirez ce livre, et que la même grâce vous communique une libération dans votre propre vie.

John Bevere
Auteur/Orateur
Colorado Springs, Colorado
Janvier 2000

1
VITRES CASSÉES

La scène se passait en 1988. John et moi, nous nous disputions. J'étais si furieuse que je cessai de parler. Après avoir serré les lèvres de toutes mes forces de peur de ce que je risquais de dire si je les ouvrais, je tournai le dos à John et me mis à essuyer la vaisselle avec des gestes saccadés. Je sentais ma température s'élever et mon souffle s'accélérer, un peu comme au cours de mon accouchement. Il fallait à tout prix que je me calme. Je ne pouvais pas m'offrir le luxe de laisser sortir de ma bouche un flot de paroles haineuses qui terrasseraient mon mari, même si j'étais folle de rage contre lui.

Mais John se méprit sur mon silence. Il crut que je boudais. Aussi tenta-t-il de me faire parler à diverses reprises. Devant mon mutisme persistant, il essaya la provocation.

Alors, d'un seul coup, son stratagème me poussa à bout. Je baissai les yeux vers l'assiette à salade que je tenais à la main. Elle était incassable. Soudain, telle une lanceuse de disque, je la projetai de toutes mes forces. Je la regardai fendre l'air, impuissante, me demandant comment j'avais pu en arriver là. J'aurais voulu pouvoir l'arrêter, mais elle se dirigea tout droit vers ma cible : la tête de mon mari. Instinctivement, John fit un bond de côté, échappant de peu à une possible décapitation, et l'assiette décrivit un arc de cercle. Elle passa devant la table du petit déjeuner où John s'était affalé sous l'effet du choc et poursuivit sa trajectoire à travers le salon. « On dirait qu'elle gagne de la vitesse ! » remarquai-je. J'étais incapable de lancer un simple Frisbee, et voilà que mon assiette fendait l'air avec une détermination farouche !

Tout à coup, un bruit de verre brisé me ramena à la réalité. Consternée, je regardai notre baie vitrée. Seul le cadre était intact. La vitre, elle, était en miettes. Pendant quelques instants, nous avons fixé le désastre en silence.

John fut le premier à retrouver sa voix. « Je n'arrive pas à croire que tu m'aies lancé cette assiette. »

Je ne pouvais qu'être d'accord avec lui. Moi non plus, je n'arrivais pas à y croire. Mais je l'avais fait, sans aucun doute !

Tous deux, nous nous sommes dirigés avec précautions vers la vitre brisée. L'air froid de janvier nous atteignait en plein visage. En dessous de notre appartement du deuxième étage, sur la pelouse, gisait une assiette blanche.

« Je vais aller la ramasser, » murmurai-je.

J'enfilai mes chaussures et ouvris doucement la porte, espérant qu'aucun de mes voisins n'avait été témoin de mon explosion. Les rafales du vent de Floride me plaquaient les cheveux sur le visage. Je descendis discrètement l'escalier et regardai à droite et à gauche avant de m'aventurer sur la pelouse. L'assiette était entourée de fragments de verre brisé provenant de la baie vitrée. Je levai les yeux pour voir si John ou d'autres personnes m'observaient par les fenêtres, mais je n'entrevis que le ciel maussade et gris. J'essuyai l'assiette et la tins contre moi en remontant l'escalier extérieur. Le vent me soufflait au visage, comme pour m'accuser. J'acceptais son verdict implacable. Je le méritais !

En rentrant chez moi, je dévisageai John. « J'ai ramassé l'assiette… elle n'est pas cassée, » balbutiai-je pour me donner une contenance.

« Tu sais que je devrai dire la vérité, Lisa, me répondit John d'un ton calme. Il faut que j'appelle le service d'entretien pour expliquer que ma femme m'a jeté une assiette à la tête, m'a manqué et a brisé la vitre. »

Je hochai la tête passivement. Ma fureur avait disparu, laissant place à la honte. « Je sais, mais je préférerais ne pas être là quand tu le feras. Je vais faire des courses. Alors, vas-y. Appelle-les maintenant. »

Le silence était lourd et déconcertant après notre discussion orageuse encore toute proche. J'étais stupéfaite que notre cher petit garçon de deux ans et demi ait dormi tout le temps. Je m'enfuis loin du lieu du crime.

Une fois seule dans la voiture, je poussai un profond soupir de désespoir. En mettant le contact, des cantiques de louange chrétiens éclatèrent, mais ils me parurent dérisoires. Je tournai le bouton et laissai le silence me submerger. Je ne voulais ni consolation, ni réconfort. Il fallait à tout prix que j'affronte en face la dure réalité. Je sortis du lotissement et décidai de rouler quelques instants avant d'aller faire les courses. Je ne voulais pas courir le risque de me retrouver nez à nez avec l'agent du service d'entretien. Que penserait-il ? « Voici Lizzy Mains-Rouges, meurtrière en puissance » ?

Ma fureur avait disparu, laissant place à la honte.

Je décidai de me morfondre dans la honte et la culpabilité pour me punir. Je me mis à imaginer les pires conséquences possibles. Peut-être un journal local s'emparerait-il de l'affaire : « Sous l'effet de la rage, la femme du pasteur de jeunes casse les vitres de son appartement. » Mon mari allait-il être renvoyé à cause de mon comportement ? Pire encore, que se passerait-il si cela me séparait de John ? Ou si les médias montaient l'affaire en épingle pour ridiculiser publiquement tous les chrétiens d'Orlando ?

Je ne savais pas si j'avais le droit de demander au Seigneur d'étouffer toute l'affaire, mais je pouvais certainement intercéder pour que cela ne porte pas préjudice à la réputation des autres chrétiens, et c'est ce que je fis.

« S'il te plaît, Seigneur, interviens en faveur de mon Église, du groupe de jeunes, de mon mari et de tous les chrétiens d'Orlando. Agis, je t'en prie ! Rien n'est trop difficile pour toi. Je sais que je ne mérite pas ton intervention. Ne le fais pas pour moi, mais pour tous les autres ! » plaidai-je avec insistance.

J'étais franchement terrifiée à l'idée que les perspectives dramatiques engendrées par mon imagination finissent par se réaliser. Je voyais déjà des regards accusateurs et des doigts pointés sur moi la prochaine fois que j'entrerais dans l'église. J'entendais les murmures scandalisés et j'imaginais les hochements de tête désapprobateurs. « J'ai toujours su qu'elle avait un problème avec la colère... L'Esprit me l'avait montré », diraient les femmes. Peut-être devrais-je présenter des excuses à toute l'assemblée ? Et pourtant, j'avais peur que ma honte ne s'efface pas. Comment mes nouvelles amies prendraient-elles la chose ? Elles me tourneraient sûrement le dos ! J'imaginais déjà leur mari, dans le secret de leur chambre, les sommant de me fuir comme la peste. Après tout, la Bible nous recommande de ne pas nous associer avec les hommes violents — et à plus forte raison, de fuir la compagnie des femmes de pasteur violentes !

Les larmes ruisselèrent sur mon visage. J'arrêtai la voiture et essayai de me ressaisir avant d'entrer dans le magasin. Mon acte me poursuivrait certainement. Mon mari ne mentirait pas, et je ne voulais pas qu'il le fasse. Peut-être cela ne ferait-il pas les gros titres des journaux, mais cela n'en aurait pas moins des conséquences. Je m'y résignai et admis que je méritais de souffrir. J'espérais seulement pouvoir me rétablir pleinement lorsque tout serait terminé.

Je longeai les rayons du magasin, la tête dans le brouillard, incapable de me souvenir de ce dont j'avais besoin. Notre budget nourriture était si limité que je ne pouvais pas m'offrir le luxe d'acheter des denrées que j'avais déjà ou dont je n'avais pas besoin. J'aurais bien aimé avoir une liste ! Je ne pris que les quelques articles dont je me souvenais avec certitude et je me réfugiai à l'abri, dans ma voiture. Le soleil se couchait. Je pourrais peut-être me glisser chez moi dans le noir ? Je refis le trajet vers la maison et restai assise dans la voiture pendant un moment, guettant la sortie de l'agent d'entretien. Puis je m'aperçus qu'il était presque dix-huit heures, et je réalisai que l'employé avait certainement terminé sa journée de travail.

Je pris mes sacs à provisions et montai l'escalier. Je frappai et ouvris la porte, qui n'était pas fermée à clé. La première chose que je vis fut la grande feuille de plastique qui recouvrait la fenêtre, et qui faisait un léger va-et-vient, comme si elle respirait. Je regardai John, redoutant ses paroles, mais prête à les entendre.

« Alors qu'a-t-il dit ? demandai-je.

— Tout ce que je peux t'affirmer, c'est que Dieu doit vraiment t'aimer ou que tu as dû prier très fort, répliqua John, le visage grave.

— Que s'est-il passé ? m'exclamai-je.

— Eh bien, je t'ai dit que je raconterais la vérité, commença John, mais il s'est passé une chose incroyable. Quand l'agent du service de maintenance est arrivé, Addison a foncé vers la porte pour l'accueillir. L'agent est allé jusqu'au canapé et il s'est penché en avant pour dégager la baie vitrée. "Ouah ! Que s'est-il passé ?" Puis il s'est penché en avant et a ramassé quelque chose. "Pas besoin d'explications, s'est-il écrié en brandissant une petite voiture métallique appartenant à notre fils. J'ai moi-même un enfant de deux ans. Nous viendrons remplacer gratuitement la vitre demain !" J'ai ouvert la bouche pour m'expliquer, mais il m'a encore arrêté : "Ne vous en faites pas… Ça peut toujours arriver ! Mettez juste une feuille de plastique pour vous protéger en attendant." »

Je m'assis, stupéfaite. Était-il possible que Dieu ait fait cela pour moi ? Non, il devait y avoir d'autres raisons ! En tout cas, une chose était sûre : j'étais tranquille. C'était mon fils de deux ans qui avait été incriminé à ma place ! Je sentis le fardeau de la culpabilité glisser de mes épaules. Je ne savais pas si je devais rire ou pleurer de soulagement. Aucune de mes craintes ne se réaliserait, après tout !

Je renouvelai mes excuses auprès de mon mari, mais je dois admettre que cette nuit-là, dans mon lit, je me demandai si Dieu n'avait pas couvert ma faute parce que mon mari refusait de le faire. Après tout, John n'aurait pas dû me provoquer ! Ce n'était pas comme si je brisais des vitres tous les jours ! C'était un incident isolé. Dieu m'avait pardonné, sinon il ne serait pas intervenu de façon si stupéfiante ! Certes, je n'aurais pas dû lancer l'assiette… mais John n'aurait pas dû me pousser à bout. Je poursuivis ce genre de raisonnement jusqu'à ce que je tombe endormie sous ma couverture de justification personnelle. Je n'avais plus aucun désir de me repentir. Bon, il faudrait que je me surveille davantage par la suite… mais John aussi !

J'avais perdu l'occasion d'apprendre une leçon très importante, et il me faudrait plus d'un an avant que ma colère me coûte assez cher pour que je me repente du fond du cœur.

Un appel au secours

Peut-être n'avez-vous jamais brisé de vitres, mais avez-vous des relations conflictuelles avec votre entourage. Le simple fait que vous soyez en train de lire cet ouvrage prouve que vous cherchez à mener une vie plus équilibrée. Vous aspirez à mener une vie passionnée, mais pieuse. Peut-être n'extériorisez-vous pas votre rage, mais la refoulez-vous. Elle n'en est pas moins une source de destruction — d'autodestruction. Vous avez peut-être l'impression d'être une maison aux carreaux cassés : des briques de colère ont été lancées, le vent glacial s'infiltre en vous et éteint votre passion comme votre espoir. Mais je crois que vous pouvez trouver la guérison.

> La colère, en elle-même, n'est pas mauvaise, mais par contre, la rage et la fureur lui donnent une ampleur destructrice.

La colère, en elle-même, n'est pas mauvaise, mais par contre, la rage et la fureur lui donnent une ampleur destructrice. Lorsque nous en sommes là, la honte que nous éprouvons nous pousse à implorer de l'aide. Je prie pour que vous tiriez des leçons de vos erreurs et que vous ayez de meilleures relations avec Dieu et avec les autres.

Père céleste,

Je viens à toi dans le précieux nom de Jésus. Seigneur, répare les vitres cassées de ma vie. Je m'intéresse plus à la vérité qu'aux apparences. Je désire que la lumière de ta Parole sonde mon cœur et me dévoile. Je souhaite que la vérité pénètre au plus profond de mon être. J'aspire à vivre libre, et non dans la honte ou la culpabilité. Seigneur, apprends-moi tes voies, afin que je puisse y marcher. Déverse sur moi ton amour et inonde-moi. Communique-moi la grâce de me soumettre aux vérités qui m'affranchiront et qui te permettront de te glorifier dans tous les domaines de ma vie.

2
METTEZ-VOUS EN COLÈRE, MAIS NE PÉCHEZ PAS

L a première partie d'Éphésiens 4.26 est facile à appliquer : « Mettez-vous en colère » (Version du Semeur). La plupart d'entre nous n'auront aucune peine à mettre cela en pratique ! La colère nous envahit sans crier gare. Quelqu'un nous fait une queue de poisson sur la route : nous vociférons hargneusement ! Nous en parlerons un peu plus loin. À première vue, ce verset semble contradictoire. Il nous permet expressément de nous irriter. *Mettez-vous en colère !* Il n'est même pas précédé d'une restriction, du genre : « Si vous avez absolument besoin de vous mettre en colère, c'est bon... allez-y ». Il dit, tout simplement, *mettez-vous en colère.* Mais il ajoute : « mais ne commettez pas de péché ». Il semble donc légitimer l'expérience de la colère, nous assurer qu'il y a des temps pour cela, mais il nous précise qu'à ce moment-là, nous devons prendre garde à ne pas pécher.

La colère,
une émotion comme une autre

Dieu nous donne la permission d'être en colère. Il sait que l'homme s'irrite très facilement, et il le comprend. Cette émotion lui est familière, à lui aussi. Elle éclate dans les cris rageurs du nouveau-né comme dans la protestation du patriote contre l'injustice. Elle transparaît dans l'atroce douleur des parents qui pleurent la mort d'un enfant et dans le tremblement silencieux d'un grand parent affligé.

> **Dieu nous donne la permission d'être en colère.**

La colère est une émotion humaine aussi naturelle que la joie, la tristesse, la foi et la peur. Si Dieu nous dit *Mettez-vous en colère*, c'est parce qu'il est normal de sortir de ses gonds. Du reste, Dieu lui-même se met en colère… et même assez souvent. À maintes reprises, il s'est irrité contre son peuple, Israël. L'Ancien Testament mentionne des centaines de fois sa colère à l'égard d'Israël et des autres nations.

Lorsque nous refoulons une émotion parce qu'elle n'est pas légitime, elle finit par ressurgir de façon malsaine. À l'inverse, lorsque nous ne savons pas la contenir, elle nous amène à pécher. Dieu lui-même ne condamne pas la colère des hommes, mais la plupart d'entre nous ne sont pas au clair sur ce point. La colère consiste-t-elle à jeter tout ce qui nous tombe sous la main à nos proches en les invectivant ? Ou à leur en vouloir parce qu'ils nous ont traités injustement ? Non : ces expressions de la colère sont mauvaises. La frontière qui sépare la colère du péché est ténue.

Le dictionnaire Hachette définit la colère comme « une réaction violente due à un profond mécontentement. »

> **Lorsque nous refoulons une émotion parce qu'elle n'est pas légitime, elle finit par ressurgir de façon malsaine.**

Il est normal d'éprouver un profond mécontentement face à un événement ou à certains actes que nous désapprouvons. Ce mécontentement indique que nous avons des opinions ou des positions différentes. Nous l'éprouvons tous chaque jour à diverses occasions. Cette définition ne nous explique pas de quelle façon nous exprimons ce mécontentement, certainement parce qu'il y a diverses réactions et recours possibles face aux offenses subies. Ces réactions dépendent également de facteurs individuels tels que l'âge, la personnalité, la position et le lieu. On attend beaucoup plus d'un adulte en public que d'un nourrisson. De même, on exige davantage des personnes qui détiennent l'autorité ou qui sont à un poste élevé. Ces dernières ne doivent jamais profiter de leur position pour laisser éclater leurs émotions ou manipuler les autres. Il faut à tout prix qu'elles prennent leurs distances face aux attaques personnelles suffisamment longtemps pour réaliser à quel point cela peut affecter ceux qui sont sous leurs ordres ou confiés à leurs soins.

Par exemple, avant de connaître le Seigneur, j'étais particulièrement hargneuse à l'égard des autres conducteurs qui me jouaient de mauvais tours sur la route. Je leur exprimais mon mécontentement en les abreuvant d'un flot d'injures. Ensuite, je suis devenue chrétienne et j'ai appris que mes mots pouvaient soit bénir, soit maudire les autres. De plus, un jour, je me suis trouvée dans la voiture d'une chrétienne consacrée. Subitement, quelqu'un lui a fait une queue de poisson. J'ai attendu sa réaction : elle ne l'a pas insulté ; elle n'a même pas montré le moindre signe de contrariété. Au contraire, elle lui a souri aimablement et lui a adressé un geste amical, comme pour l'inviter à recommencer. Puis elle s'est tournée vers moi et elle a observé : « Nous venons simplement de semer une graine de gentillesse. »

Je tentai de suivre son exemple... ou du moins, je cessai de crier des insultes par la portière. Toutefois, si je serrais les dents, j'avais tendance à grommeler : « Allez, avance, grand-père... Je n'ai pas que ça à faire, moi ! Au train où tu roules, on n'est pas sortis de l'auberge ! » Et je donnais des coups de klaxon rageurs (pour le bien des autres conducteurs, évidemment !) Et puis je me suis mariée, et j'ai eu des enfants.

Parler entre mes dents ne me parut plus aussi idéal, même si les autres conducteurs ne m'entendaient pas, car mes fils, eux, n'avaient pas les oreilles dans leur poche ! Ils ne tardèrent pas à prendre fougueusement la défense de leur mère contre les conducteurs cavaliers. L'air furieux, ils poussaient des hauts cris, puis ils me regardaient en coin pour guetter un signe d'approbation de ma part. « Il a besoin d'apprendre à conduire, hein, maman ? » criaient-ils triomphalement.

Oups ! Le temps était venu où j'allais devoir exprimer mon mécontentement d'une autre façon puisque mon comportement rejaillissait sur mes fils ! Mes enfants m'imitaient, et je n'avais plus le droit de me laisser aller à critiquer les autres comme je le faisais. Pour la sécurité et l'équilibre futurs de mes enfants, il fallait que je manifeste ma désapprobation d'une manière constructive et que je conduise d'une manière moins agressive. Au lieu de me plaindre des autres automobilistes, je tentai alors d'expliquer à mes enfants ce qui n'allait pas dans leur façon de conduire et comment réagir en pareil cas. Lorsqu'un semi-remorque me double comme une flèche, je fais une remarque du genre : « Ce type a l'air très énervé... ou très pressé ! En tout cas, je ne vais pas faire la course avec lui ! » Et je reste sagement sur ma file. Mais je dois avouer que je déteste toujours les queues de poisson...

La colère temporaire

La « réaction violente » de la colère devrait être brève et passagère. C'est lorsqu'elle prend racine qu'elle devient dangereuse. Nous vivons trop souvent dans un état d'exaspération constant ponctué de brefs interludes de retour au calme. Dieu nous montre l'exemple de la colère saine : « Car sa colère dure un instant, mais sa grâce toute la vie » (Ps. 30.6).

La durée de la colère légitime est donc très brève. David nous a décrit la colère de Dieu comme passagère. Il était bien placé pour le savoir, puisqu'il l'a expérimentée de plein fouet. Lorsque la colère de Dieu s'est enflammée contre lui à cause de son meurtre et de son adultère secrets, il lui en a coûté un fils. Il aurait pu s'aigrir contre le Seigneur et prétendre que sa colère durait toute la vie, et sa grâce un instant. N'a-t-il pas été frappé à maintes reprises dans sa famille ? Mais non. David a entrevu la personnalité et la nature de Dieu. Par la repentance, il s'est accroché à la bienveillance et à la miséricorde divines.

> Nous vivons trop souvent dans un état d'exaspération constant ponctué de brefs interludes de retour au calme.

Dans sa colère, Dieu peut détourner provisoirement sa face, non pour nous rejeter, mais pour nous ramener à lui. Il comprend donc que nous éprouvions le besoin de nous éloigner provisoirement de ce qui nous irrite pour ne pas exploser de fureur et faire des dégâts. Nous ne nous écartons pas des autres pour les punir, mais pour avoir le temps de nous calmer et de nous ressaisir.

> **Nous devons parfois nous détourner de quelqu'un momentanément afin d'établir une distinction entre lui et ses actions, ses paroles ou sa conduite.**

Dieu a dit à Israël : « Monte vers ce pays où coulent le lait et le miel. Mais je ne monterai point au milieu de toi, de peur que je ne te consume en chemin, car tu es un peuple au cou raide » (Exode 33.3) et aussi : « Quelques instants je t'avais abandonnée, mais avec une grande affection je t'accueillerai » (Ésaïe 54.7).

Dieu ne se détourne de nous que pendant un *court* instant, puis il revient nous prendre dans ses bras et nous bénir de multiples manières. Nous devons parfois nous détourner de quelqu'un momentanément afin d'établir une distinction entre lui et ses actions, ses paroles ou sa conduite. La colère spirituelle ne rejette pas la personne, mais ses transgressions, et avec une conscience pure, elle cherche un moment de solitude pour savoir distinguer l'une des autres. À maintes reprises, c'est ce que Dieu m'a amenée à faire.

Parfois, sa main s'appesantit sur moi, et je comprends qu'il désapprouve mon comportement. Lorsque sa pression devient insupportable, je me repens du fond du cœur et je lui demande pardon. Je me sens alors libérée d'un grand poids et je sens mon cœur se remplir de son amour et de ses promesses, alors que je sais ne pas les mériter. Je devrais tomber sous le coup du jugement, et voilà qu'à la place, il m'inonde de miséricorde ! Sa bonté me ramène à lui comme un aimant. Il me dit : « Tu es toujours à moi. Je t'aime toujours. Je sais que tu veux bien faire. Je crois que

> **Je devrais tomber sous le coup du jugement, et voilà qu'à la place, il m'inonde de miséricorde !**

tu vas changer. Je passe l'éponge et j'oublie tout. » Il veut que je sois sûre d'être toujours son enfant. Bien que certaines de mes actions ou de mes paroles soient inacceptables à ses yeux, il ne me rejette pas.

C'est si important que je vais vous le répéter : quand nous sommes en colère, nous devrions toujours commencer par nous recueillir mentalement ou nous isoler physiquement afin d'être capables de séparer l'offense de celui qui nous l'inflige. La vieille méthode qui consiste à compter jusqu'à dix est bonne, mais souvent les circonstances ne s'y prêtent pas. Lorsque nous prenons du recul, demandons-nous : « Pourquoi suis-je si furieux ? Au fond, qu'est-ce que cela cache ? Dois-je prendre du temps avant de répondre à ces questions ? » Nous en arrivons ainsi à la seconde partie du verset des Éphésiens, dont la début sert de titre à ce chapitre :

> « *Si vous vous mettez en colère, ne péchez point ; que le soleil ne se couche pas sur votre colère.* »
>
> *(Éphésiens 4.26)*

L'idée que la colère doit être temporaire correspond aussi à l'avertissement divin : « Que le soleil ne se couche pas sur votre colère ». Ce n'est pas l'obscurité qui pose problème. Nous nous sommes tous fâchés après le coucher du soleil, car nous allons au lit longtemps après lui ! Je crois que le coucher du soleil marque soit la fin de la journée, soit un laps de temps approprié. Lorsque la colère n'est pas uniquement passagère, elle devient malsaine. Le temps et la colère sont liés. Plus une offense reste longtemps sur le cœur, plus elle s'enracine profondément, et plus elle génère d'amertume.

Dans le prochain chapitre, nous verrons quels dangers il y a à « dormir avec » sa rancœur.

Le temps et la colère sont liés.

Père céleste,

Je viens à toi au nom de Jésus. Que ta Parole soit une lampe à mes pieds et une lumière sur mon sentier. Montre-moi le sentier de la justice, afin que je puisse marcher d'une façon qui te plaise. Quand je me mets en colère, apprends-moi à ne pas pécher.

3
DORMIR AVEC L'ENNEMI

Lorsque John et moi étions jeunes mariés, nous semblions aimer nous disputer comme chien et chat. La plupart du temps, ces joutes verbales avaient lieu après le repas, juste avant de nous coucher. Le plus souvent, après ces discussions houleuses, je me refusais à me calmer, à pardonner à John et à oublier l'offense avant de me coucher. (Comme vous l'avez peut-être déjà remarqué, j'ai un léger problème en ce qui concerne la colère et la rancune). Je punissais John en boudant, en poussant des soupirs à fendre l'âme, puis en me précipitant dans notre lit, où je lui tournais le dos et m'installais si près du bord que mes genoux pointaient dans le vide. Je voulais être certaine qu'aucune partie de mon corps ne serait en contact avec le sien. Après quelques instants de silence mortel et de raideur glaciale, John disait généralement : « Allez viens, Lisa. On va prier !

— Je peux prier toute seule, merci ! » ronchonnais-je sans me retourner.

Nouveau temps de silence, pendant lequel je faisais semblant de dormir. Parfois, John restait allongé en silence ; d'autres fois, il quittait la chambre pendant quelques instants, puis il revenait et se retournait sur le lit en ronchonnant à son tour. À un certain moment, tel un superhéros, John bondissait hors du lit, allumait les lumières et soulevait mes couvertures.

« Nous n'allons pas laisser le soleil se coucher sur notre colère ! » décrétait-il d'un ton ferme.

J'avais déjà vécu cet épisode maintes et maintes fois auparavant.

« Il est déjà couché ! Rend-moi mes couvertures. Je déteste que tu fasses ça ! criais-je en bondissant sur les couvertures pour tenter de les récupérer.

— Non ! objectait John. Nous devons prier ! »

Après avoir fait une ultime tentative pour reprendre mes couvertures, je cédais à contrecœur et marmonnais du bout des lèvres : « Je pardonne volontairement à mon mari par la foi, afin qu'il cesse de me tourmenter et qu'il me laisse dormir », ou quelque chose d'analogue.

Le lendemain matin, John sautait du lit frais et dispos, alors que j'avais une mine de papier mâché. Voyant cela, j'étais furieuse parce qu'il avait bien dormi et moi pas.

Si j'avais eu un sommeil agité, c'était parce que j'étais toujours en colère. Prière ou pas prière, je ne savais pas comment me calmer tant que je n'avais pas l'impression d'avoir puni mon mari ou clamé haut et fort mon opinion. De plus, je voulais qu'il me promette de s'amender. À l'époque, j'infligeais ce genre de traitement à tous ceux qui me marchaient sur les pieds.

Je suis sûre que maintenant, vous comprenez pourquoi le laps de temps entre le dîner et le coucher était insuffisant pour effectuer ce processus de façon satisfaisante. Aussi, drapée dans ma dignité, allais-je au lit sans être satisfaite, persuadée que mon mari avait une dette à mon égard.

Le moment précédant notre départ au travail n'était pas favorable non plus. Le matin, j'avais tendance à être dans le brouillard. L'œil vitreux, je regardais mon mari radieux, puis je me traînais sous la douche pour essayer de sortir de ma torpeur. Ensuite, j'allais déjeuner, toujours en silence, mais en poussant quelques soupirs dignes d'une martyre pour le cas où John n'aurait pas remarqué mon mécontentement. Au bout d'un certain temps, il dressait enfin l'oreille !

« Quelque chose ne va pas, mon trésor ? demandait-il.

— En effet ! répliquais-je d'un ton glacial.

— Je pensais que nous avions réglé le problème hier soir, objectait-il.

— Nous n'avons rien réglé. Je voulais juste que tu cesses de me harceler et que tu me laisses dormir ! répliquais-je froidement. Bon, je vais faire des courses. »

Et je montais l'escalier, fermement décidée à réouvrir le feu après notre journée de travail. Ainsi, j'aurais toute la journée pour fourbir mes armes.

Invariablement, la dispute repartait de plus belle dès que nous rentrions à la maison, aggravée par les griefs accumulés le soir précédent, ainsi que celui d'avant… etc…

En refusant de mettre un terme à ma colère contre mon mari, j'étais perpétuellement sur la défensive avec lui. J'étais soit furieuse, soit sur le point de l'être.

> En refusant de mettre un terme à ma colère contre mon mari, j'étais perpétuellement sur la défensive avec lui.

Savoir lâcher prise

Pour vous mettre en colère sans pécher, il faut à tout prix que vous sachiez quand renoncer à elle. Perpétuer votre colère renforce votre péché, votre rancune et votre fureur. Alors, vous ne réagissez plus contre chaque offense ou sujet de mécontentement, mais contre une accumulation de nombreuses blessures qu'on vous a infligées. Comme la même offense vous frappe plusieurs fois, vous n'avez plus un grief isolé, mais une quantité.

Réfléchissons au conseil d'Éphésiens 4.26 : « que le soleil ne se couche pas sur votre colère ». Nous pouvons y puiser un principe physique et spirituel très important. Lorsque vous vous endormez en colère, vous vous réveillez de même. Lorsque vous n'avez pas fait miséricorde la veille, il est difficile de pardonner le jour suivant (Ps 59.16).

Dans le Psaume 4.4, David nous a avertis du danger que nous courons si nous nous couchons en colère :

> Lorsque vous vous endormez en colère, vous vous réveillez de même.

« Mettez-vous en colère, mais n'allez pas jusqu'à pécher ! Réfléchissez sur votre lit, puis taisez-vous ! » (Bible du Semeur).

Ce poète combattant, cet homme selon le cœur de Dieu, a partagé avec nous sa sagesse, qui transcende les temps et les cultures. Il nous a prévenus : « Mettez-vous en colère, mais n'allez pas jusqu'à pécher ! Réfléchissez sur votre lit, puis taisez-vous ! » En écrivant cela, David pensait peut-être aux sources les plus fréquentes de colère : les relations. Cela comprend les couples, les membres de familles et les amis. À l'époque, les couples mariés dormaient très souvent dans des lits séparés. Ce roi dit à ses sujets d'aller dans leur lit, de se calmer et de sonder tranquillement leur cœur en le mettant à nu devant Dieu.

Restez calme et écoutez Dieu

C'est une invitation à vénérer le Seigneur, à faire silence devant sa face et à l'écouter. Pourquoi ? Parce qu'au sein de votre souffrance, de vos conflits et de vos crises, Dieu se révélera à vous si vous l'y autorisez. Il désire être la dernière voix que vous entendrez avant de vous endormir.

Dans le calme de la nuit, ne dites plus rien ; n'essayez pas d'avoir le dernier mot. Ne justifiez pas votre position. Restez tranquille et laissez le Seigneur se révéler dans le silence. C'est le moment d'adopter son point de vue et de laisser vos rancœurs.

La prière et la méditation devant Dieu nous incitent davantage à écouter qu'à parler. Ce n'est pas mon flot de paroles hargneuses qui va me purifier. Il ne fera qu'exposer mon point de vue, mes arguments, mes déceptions. Non ! Mon torrent déchaîné de raisonnements est bien trop boueux et trouble pour que je le calme seule. Je ne fais qu'y ajouter des débris supplémentaires ! Seule la source tranquille et pure de l'eau vive jaillie des profondeurs peut me rafraîchir et me débarrasser de ma honte et de ma culpabilité.

Au sein de votre souffrance, de vos conflits et de vos crises, Dieu se révélera à vous si vous l'y autorisez.

Des rêves pleins de colère

Mais que va-t-il se passer si vous choisissez de ne pas tenir compte du conseil de David et de ressasser vos propres raisonnements ? Votre déception et votre souffrance sont trop intenses pour que vous y renonciez sans dormir avec pendant au moins une nuit. Vous serrez votre colère contre vous comme un bouclier sur votre cœur. Bien que vous puissiez vous endormir comme une masse, vous risquez plutôt de connaître une nuit d'angoisses et de tourments, car « si les songes naissent de la multitude des occupations, la voix de l'insensé se fait entendre dans la multitude des paroles » (Eccl. 5.2).

Au lieu de vous réveiller avec l'esprit clair et le corps bien reposé, votre esprit sera encombré de toutes sortes de pensées sordides et ulcérées. Peut-être vous souviendrez-vous de quelques horribles cauchemars que vous aurez faits pendant la nuit. L'impression qu'ils vous auront laissée sera étrangement réelle. Ils vous couvriront d'une chape de découragement et de crainte. Vous essaierez de vous dire qu'après tout, ce ne sont que des rêves, mais le matin, ils sembleront vous hanter.

Au début de notre mariage, je me réveillais souvent en colère contre John à cause d'un rêve que j'avais fait au cours de la nuit. J'étais persuadée qu'il avait contribué activement à mon cauchemar. J'étais pratiquement certaine qu'il l'avait fait sciemment, et qu'il saisirait probablement la première occasion pour me tourmenter de la même manière dans la réalité. Bien sûr, j'étais ridicule, mais dans l'aube trouble de mes rancœurs, cela me semblait bien être ainsi.

Peut-être même que vous avez passé une nuit sans rêve, mais loin d'être reposante. Vous n'avez dormi que d'un œil. Vos résidus de colère de la veille envahissent votre esprit comme un épais brouillard qui englue vos pensées. Vous oubliez les excuses et le pardon pour ne vous souvenir que des offenses. À la lumière du matin, elles vous paraissent plus infâmes que jamais. Vous n'allez pas capituler si facilement… On va voir de quel bois vous vous chauffez !

À ce stade, vous vous posez en victime, et les victimes n'accordent pas leur pardon, parce qu'elles sont trop occupées à exiger des dédommagements. Vous ne saisirez pas la miséricorde matinale de Dieu si vous vous réveillez en jouant au martyr. Si j'ai appris une chose, c'est que j'ai besoin de beaucoup de grâce. Il faut donc que je fasse grâce, moi aussi.

En revenant à notre chapitre d'Éphésiens, nous nous apercevons que Dieu nous dit quelque chose de plus :

> « *Si vous vous mettez en colère, ne péchez point ; que le soleil ne se couche pas sur votre colère, et ne donnez pas accès au diable.* »
>
> *(Éph. 4.26-27)*

J'ai besoin de beaucoup de grâce. Il faut donc que je fasse grâce, moi aussi.

Pécher sous l'effet de la colère en l'entretenant sciemment donne au diable un accès ou un droit de contrôle de la situation. Le commentaire de Matthew Henry affirme : « Que vos oreilles soient sourdes aux murmures, aux fables et aux diffamations. » Si vous êtes seul dans votre lit et en fureur, quelle autre voix pourriez-vous donc entendre ? Vos propres pensées crient trop fort. Elles couvrent le murmure doux et léger de la voix du Seigneur. Vous n'entendez que vos jérémiades, qui vous rappellent sans arrêt les affronts qu'on vous a infligés ! L'accusateur des frères vous envoie ses messagers, qui vous rabattent les oreilles et vous empêchent de dormir. Ils intensifient leurs attaques et vous racontent des mensonges, tout en vous rappelant des scènes de vos blessures et de vos chagrins passés. Puis ils vous montrent les possibilités ultérieures de conflits jusqu'à ce que vous vous réveilliez épuisé, furieux et profondément outragé.

N'oubliez pas la façon dont la Bible décrit le diable : « Soyez sobres, veillez. Votre adversaire, le diable, rôde comme un lion rugissant, cherchant qui il dévorera » (1 Pierre 5.8).

Le diable rôde, à la recherche de ceux qui ne sont pas sobres et vigilants. Le contraire de sobre, c'est ivre. Un homme ivre ne se rend pas compte de ce qui se passe autour de lui. Ses perceptions et sa perspective sont faussées. Ses réflexes sont amoindris et son raisonnement tordu. Être vigilant, c'est être sur ses gardes. Cela implique qu'on soit en éveil et attentif.

Les lions chassent le plus souvent la nuit. Le diable est comparé à un lion rugissant à l'affût d'une proie. Il ne vient pas littéralement dans notre chambre pour nous dévorer au sens propre. Si c'était le cas, chacun d'entre nous prendrait grand soin d'éliminer toute trace de colère de sa vie avant de poser sa tête sur son oreiller ! Non, il nous attaque d'autres manières, plus subtiles. Bien qu'elles soient moins visibles, elles n'en présentent pas moins un danger pour nous. Il mine notre joie, notre repos, notre force, notre santé, nos relations et nos pensées. Il remplace le silence paisible par un torrent d'accusations. Il couvre la crainte respectueuse du Seigneur d'une terreur dévastatrice. Je crois que Dieu a employé l'image terrifiante et persistante d'un lion affamé pour nous faire comprendre avec quelle obstination Satan nous poursuit. Il flaire l'état dans lequel nous plongent nos colères irrésolues comme un lion décèle l'odeur de sang de sa proie.

> **Le diable est comparé à un lion rugissant à l'affût d'une proie.**

Dormez dans la lumière

Sur cette terre, nous ne comprendrons peut-être jamais à quel point il est important d'obéir aux avertissements de Dieu. Ceux qui les suivent à la lettre sans avoir besoin de grandes explications ont souvent une plus grande autorité spirituelle que ceux qui préfèrent s'appuyer sur leur compréhension intellectuelle. L'obéissance nous protège, alors que la sagesse de l'homme est une folie pour Dieu. Par rapport à la sienne, notre sagesse est illusoire.

Je vis dans le Colorado, et si un garde forestier se présentait chez moi pour m'apprendre qu'un ours sauvage et féroce rôdait dans les parages, non seulement je l'écouterais attentivement, mais je lui demanderais quelles précautions je dois prendre. S'il me disait : « Il faut à tout prix que vous alliez vous coucher ce soir avec les lumières allumées », je le ferais, bien que je préfère dormir dans le noir. Je continuerais à dormir avec les lumières allumées jusqu'à ce que l'ours soit capturé ou tué.

> **La sagesse de l'homme est une folie pour Dieu.**

Dieu veut que nous dormions à la lumière de sa vérité, que nous comprenions pourquoi ou non. S'il nous est prescrit d'être sobres, vigilants, alertes et lucides (cf. : « Soyez bien éveillés, lucides ! », 1 Pierre 5.8, Bible en français courant), nous ferions bien de prendre au sérieux l'avertissement du Seigneur.

J'ai appris cette leçon à mes dépens. Je me croyais au-dessus de cela, et je pensais pouvoir m'endormir fâchée. Cela n'a pas commencé à mon mariage, mais dès mon enfance. Je restais allongée dans mon lit à ressasser mon indignation et les torts qu'on m'avait faits. Je mijotais ma vengeance et ruminais mes idées de justice. Comme je n'étais pas chrétienne à l'époque, je ne pensais jamais aux conseils du Seigneur au cours de mes amères méditations. Je laissais les raisonnements de ce monde me dicter mes attitudes et mes réactions.

Des études ont prouvé que la plupart d'entre nous acquièrent leur façon de réagir face à la colère dès leur jeune âge. Les réactions positives ou négatives de nos proches renforcent notre comportement. Nous avons appris ce qui attirait l'attention de notre entourage, et nous l'avons reproduit si souvent que c'est devenu une seconde nature.

Certains d'entre vous ont pris l'habitude de se coucher alors qu'ils étaient en colère, par ignorance, comme moi dans mon enfance. D'autres ont connu la vérité, mais ont décrété qu'ils n'en feraient qu'à leur tête. D'autres ne se couchent pas fâchés contre les autres, mais contre eux-mêmes. Déçus et exaspérés contre eux-mêmes, ils s'imaginent qu'en se punissant pendant la nuit, ils se réveilleront changés et différents. Mais ce n'est pas vrai. Cette punition nocturne n'est pas constructive, mais néfaste.

Les réactions positives ou négatives de nos proches renforcent notre comportement.

Si vous pensez que la colère n'est destructive que lorsqu'elle est dirigée contre les autres, vous faites erreur. Souvent, lorsque je n'étais pas fâchée contre mon mari, je m'en voulais terriblement à moi-même. Chaque soir, en me couchant, je ressassais toutes mes fautes de la journée. Je me fustigeais, je me reprochais toutes les erreurs dont je me souvenais et me faisais payer cher mes « infractions ».

Je ne dis pas qu'il est mauvais de réfléchir à votre journée et de penser aux erreurs que vous avez commises ou aux choses que vous auriez pu faire autrement. Il est bon de laisser le Saint-Esprit vous rappeler vos paroles et vos actes mauvais. Mais mieux vaut faire cela dans le calme de la nuit, en lisant la Bible et en élevant votre cœur vers le Seigneur. Alors que moi (comme beaucoup d'entre vous, je le crains) je m'autocensurais avant de dormir, ce qui perturbait ensuite mon sommeil. Certes, le lendemain matin, je priais et je demandais pardon à Dieu, mais je me sentais tellement coupable que j'éprouvais quelque difficulté à croire que ses compassions se renouvellent chaque matin.

Si, par exemple, je m'en voulais d'avoir perdu mon calme avec mes enfants au cours de la journée, je me sermonnais : « Tu devrais être plus patiente ! » Puis je me culpabilisais à tel point que je me considérais comme une mère indigne, et que j'allais me coucher accablée et désespérée. J'espérais qu'en me réveillant, j'éprouverais de tels remords à cause de mon impatience que je ne recommencerais plus jamais. Mais au lieu de cela, je me réveillais désespérée à l'idée de n'être qu'une ratée. Cela m'accablait tellement que la journée qui m'attendait me paraissait insurmontable, et que j'étais prête à retomber dans mes travers habituels. J'ai appris depuis que l'acharnement contre soi est aussi destructeur que la colère. La culpabilité ne rétablit pas nos relations avec les autres et n'a aucun effet bénéfique sur nous.

Jésus comprend fort bien que le poids de nos offenses et de nos péchés est trop lourd pour que nous puissions le porter ; aussi l'a-t-il porté pour nous. Il veut que nos fautes soient dévoilées par la lumière de sa Parole, cette lumière qui guérit ce qu'elle révèle. Lorsque nous nous rapprochons de lui, il dissipe les ténèbres de nos vies jusqu'à ce que ces dernières brillent en pleine lumière. La culpabilité est obscure ; la grâce est lumineuse. Le verset suivant m'est particulièrement cher, car il dépeint à merveille le processus de la transformation :

> « Le sentier des justes est comme la lumière resplendissante, dont l'éclat va croissant jusqu'au milieu du jour. La voie des méchants est comme les ténèbres ; ils n'aperçoivent pas ce qui les fera tomber. »
> (Prov. 4.18-19)

La culpabilité est obscure ; la grâce est lumineuse.

Dans un prochain chapitre, nous parlerons de l'importance de se pardonner à soi-même. Mais pour l'instant, il faut que vous preniez conscience que vous êtes sur le sentier du juste. Certes, vous n'êtes pas parfait, mais vous tendez vers la perfection. Il est temps de purifier votre cœur. Ne voudriez-vous pas obéir à la Parole de Dieu afin d'acquérir sa sagesse ? Si c'est le cas, priez avec moi.

> *Cher Père céleste,*
>
> *Je viens à toi au nom de Jésus. J'ai eu tort d'avoir dormi avec l'ennemi. Je t'en demande pardon. Je ne dormirai plus avec la rage, la culpabilité ou la colère. Je ne laisserai plus les ténèbres envahir mon cœur. Je veux que la lumière de ta Parole et de ton amour fassent pénétrer la vérité dans mon cœur. Je resterai désormais paisible et calme dans mon lit et je chercherai ton conseil. Je fais mienne la promesse de ta Parole : « Si tu te couches, tu seras sans crainte ; et quand tu seras couché, ton sommeil sera doux » (Prov. 3.24). Je me courbe sous ta main puissante avec humilité. Je veux résister au diable, afin qu'il fuie loin de moi là où je l'ai laissé pénétrer. Garde-moi pendant la nuit. « Je me couche et je m'endors en paix, car toi seul, ô Éternel ! Tu me donnes la sécurité dans ma demeure » (Ps. 4.8).*

4

PRÊT... ENJOUE... FEU !

es mots évocateurs illustrent bien le cycle qui mène de la colère au péché. Après avoir entendu « Prêt... En joue... Feu ! », vous vous représentez parfaitement la scène. Vous voyez quelqu'un qui était auparavant détendu ou distrait se redresser et se mettre en position. Il se raidit. Ses mains se crispent sur son arme. Puis il lève cette dernière et vise sa cible pour mieux la localiser. Mentalement, il évalue la distance à laquelle se situe sa victime. Une fois que c'est fait, il n'a plus qu'à tirer, en appuyant sur la gâchette ou en lançant sa flèche. En fin de compte, il regarde s'il a bien atteint sa cible.

Je trouve cette série de mots parfaite, non seulement pour représenter le tir, mais aussi la progression de la colère au péché ou, plus précisément, de la colère à la rage et à la fureur.

Un état d'alerte

Dans son ouvrage *Make Anger Your Ally* (Faites de la colère votre alliée), Neil Clark Warren déclare que la colère « est absolument naturelle et parfaitement légitime. C'est une réaction interne qui nous prépare à surmonter nos expériences douloureuses, décevantes et effrayantes... La colère est simplement un état d'excitation physique. » Il poursuit ensuite : « Quand nous sommes en colère, nous sommes prêts à agir ». La forme de colère la plus pure est l'aptitude ou la promptitude physique à réagir. Évidemment, il n'y a rien de mal à être prêt à réagir, à le vouloir et à en être capable. À ce stade, nous ne commettons aucun délit ; nous ne faisons qu'amorcer le processus. Nous n'avons pas encore mis notre fusil en joue ; nous sommes simplement en état d'alerte.

« *Prêt !* » Ce signal retentit quand nous avons une poussée d'adrénaline, ce qui irrigue nos muscles et les contracte. Notre respiration s'accélère afin de pourvoir à notre besoin accru d'air, et notre cœur bat la chamade. Nous sommes dans un état d'irritation et d'excitation. Ceux qui nous entourent ne le remarquent pas toujours, mais notre sergent intérieur nous a déjà crié « *Prêt !* », et le signal a fait vibrer chaque nerf de notre organisme.

L'ennemi est proche ! Soyez sur vos gardes ! Préparez-vous à l'attaquer, ou c'est lui qui vous aura ! Évaluez vos réactions pour vous rendre compte de l'intensité de vos sentiments. « À quel point suis-je exaspéré ? Est-ce que je parviens encore à raisonner sainement ou est-ce que mon imagination s'emballe ? » L'énergie physique et émotionnelle de notre colère nous prépare à l'action, et nous sommes fin prêts, mais à quoi ? À frapper ? À courir ?...

Tout à coup, le second mot d'ordre retentit : « *En joue !* » Lorsque nous faisons cela, notre entourage voit que nous avons sorti notre arme. Il sait que nous sommes à bout de patience. Nous visons notre cible. Nous avons braqué notre arme dans cette direction, mais jusqu'où irons-nous ? Peut-être le fait d'intimider notre victime suffira-il à désamorcer notre rage ? En tout cas, nous sommes prêts à tirer. Bien que nous soyons armés, nous ne sommes peut-être pas dangereux. Mettre notre arme en joue n'implique pas forcément que nous allions jusqu'à tirer, mais que nous le fassions ou non, dès que notre arme est braquée sur notre vis-à-vis, les dynamiques immédiates de notre relation changent.

Notre rage ne fait que croître ; notre température s'élève, et nous sommes sur le point de tirer. Un élément de désespoir et de crainte s'est ajouté aux précédents. Nous devons détruire ou être détruits : aussi prenons-nous pour cible ceux qui nous ont froissés et nous les criblons de balles. Mais à quel endroit les visons-nous ? Voulons-nous les blesser provisoirement ou les atteindre à un certain point du corps, par exemple à la jambe, pour les rendre boiteux par la suite ? À moins que nous ne voulions les éliminer purement et simplement ? Dans ce cas, nous devons toucher un organe vital comme le cœur. Dans notre état d'agitation, pouvons-nous prendre une décision aussi grave ? Oui, il le faut à tout prix ! Nous voilà persuadés de devoir toucher soit la tête, soit le cœur de notre adversaire. Nous visons soigneusement et attendons l'ordre suivant : « Feu ! »

Nous appuyons sur la gâchette et vacillons sous le choc produit par la détonation. Pendant quelques instants, nous fermons les yeux pour ne pas voir le spectacle qui est devant nous, puis nous les rouvrons.

Et là, face à nous, c'est un carnage. C'est bien plus réel et horrible que nous l'aurions cru possible. Choqués par le désastre, nous commençons à remettre en question les ordres du sergent, maintenant étrangement silencieux.

Que venons-nous de voir ? Tout simplement la façon dont « la colère » a atteint le stade ultime et regrettable de la fureur. Cet exemple illustre la ligne de démarcation qui sépare la colère constructive de la fureur destructrice. La colère est l'état d'excitation physique et émotionnelle, la rage est la décision de prendre une arme, et la fureur consiste à se servir de cette dernière pour détruire l'autre.

Les armes de la colère

Trop souvent, nous avons suivi le schéma précédent, quoique nos armes aient été psychiques et aient pris la forme de paroles, de pensées ou d'actions. Peut-être, en lisant ces lignes, vous souvenez-vous d'un moment où vous avez agi de la sorte... À moins que ce soit l'inverse, et que vous ayez servi de cible. Il est important d'examiner quelques exemples concrets de rage et de fureur, parce que *très souvent, ce que nous appelons colère ne l'est pas réellement ; il s'agit plutôt de divers stades de rage ou de fureur.*

Vous vous souvenez de l'histoire que je vous ai racontée au premier chapitre (celle où j'ai lancé l'assiette) ? Pendant

Nos armes prennent la forme de paroles, de pensées et d'actions.

que je lavais la vaisselle, ma tension émotionnelle m'a amenée au premier stade de la colère. Je savais que j'étais agitée et j'ai lutté pour garder le contrôle de moi-même. Et puis, soudain, j'ai laissé un mot ou une phrase de mon mari me propulser de la colère à la rage. Mon époux est alors devenu une cible. À ce stade, j'aurais encore pu me maîtriser, mais j'ai choisi de laisser la rage et la fureur prendre le dessus et j'ai libéré mon trop-plein d'excitation en lançant l'assiette.

Examinons maintenant un exemple scripturaire de ce processus : le célèbre épisode de Caïn et de son frère Abel. Bien que vous connaissiez déjà ce passage, prenez le temps de le lire comme si vous le découvriez pour la première fois.

> « A bout de quelque temps, Caïn fit à l'Éternel une offrande des fruits de la terre, et Abel, de son côté, en fit une des premiers-nés de son troupeau et de leur graisse. L'Éternel porta un regard favorable sur Abel et sur son offrande ; mais il ne porta pas un regard favorable sur Caïn et sur son offrande. »
>
> (Gen. 4.3-5)

Aïe… Il y a un problème. Dieu a apprécié Abel et son offrande, mais non Caïn, ni son offrande. Imaginez l'intensité émotionnelle de ce récit. Caïn avait fermement espéré voir son travail récompensé par le Dieu saint. Après tout, il avait travaillé pendant très longtemps, alors qu'Abel s'était contenté de tuer un agneau en un rien de temps. Caïn fut écœuré par le verdict. Il savait que Dieu était souverain, et comme il n'avait aucunement l'intention de se remettre en question… ce devait donc être de la faute d'Abel ! D'une manière ou d'une autre, ce dernier avait probablement volé la bénédiction de son frère ! Caïn était fou de rage. Il était prêt à tout !

Pourquoi ?

> « Caïn fut très irrité, et son visage fut abattu. Et l'Éternel dit à Caïn : Pourquoi es-tu irrité, et pourquoi ton visage est-il abattu ? Certainement, si tu agis bien, tu relèveras ton visage, et si tu agis mal, le péché se couche à la porte, et ses désirs se portent vers toi : mais toi, domine sur lui. »
>
> (Gen. 4.5-7)

Dieu nous posera les mêmes questions : « *Pourquoi ? Pourquoi te mets-tu dans un état pareil ? Quel est le vrai problème ?* »

L'Éternel voyait la colère de Caïn et lui posait une question très importante : « Pourquoi ? » Certes, il savait ce qui exaspérait Caïn, mais il voulait l'amener à réfléchir. Si Caïn avait pris le temps de répondre sincèrement à la question, la tragédie qui suivit aurait pu être évitée. Hélas, jamais Caïn ne prit la peine de se demander *pourquoi* il était dans un tel état. *Il est toujours plus facile de se retourner contre autrui que d'affronter la réalité en face.* Comme Caïn ne répondait rien, Dieu alla plus loin et toucha du doigt le nœud du problème : « Si tu agis bien tu relèveras ton visage », lui dit-il, l'assurant ainsi qu'il pouvait être accepté par Dieu s'il redressait la barre. Puis il l'avertit : « Et si tu agis mal, le péché se couche à ta porte, et ses désirs se portent vers toi : mais toi, domine sur lui. »

Caïn avait enclenché le processus. Il était furieux, et bien qu'il n'ait pas encore pris son arme, il envisageait de le faire. Dieu le savait et l'avait prévenu qu'il pouvait dominer ou « museler » sa rage grandissante. Mais Caïn s'y refusa et il attendit l'occasion d'exécuter sa vengeance. Abel était dans sa ligne de mire ; il ne restait plus qu'à trouver le bon moment.

> « *Cependant, Caïn adressa la parole à son frère Abel ; mais comme ils étaient dans les champs, Caïn se jeta sur son frère Abel et le tua.* »
>
> *(Gen 4.8)*

Peut-être attira-t-il Abel dans les champs en lui demandant un coup de main ou en l'invitant à venir voir le reste de sa moisson, mais il n'avait qu'une idée en tête : le tuer. Il n'avait pas pris garde à l'avertissement de Dieu, mais il s'était livré au péché, auquel il avait permis de prendre barre sur sa vie.

> « *L'Éternel dit à Caïn : Où est ton frère Abel ? Il répondit : Je ne sais pas ; suis-je le gardien de mon frère ? Et Dieu dit : Qu'as-tu fait ? La voix du sang de ton frère crie de la terre jusqu'à moi.* »
>
> *(Gen. 4.9-10)*

Caïn savait très bien où était son frère... Il était mort et enterré dans les champs, recouvert du fruit de l'offrande que Dieu avait rejetée. N'est-il pas étonnant que Caïn ait, en fin de compte, fait couler le sang de son frère, au lieu de faire couler celui d'un animal afin d'offrir un sacrifice agréable à Dieu ? Nous pouvons supposer qu'Adam et Ève avaient appris à leurs fils la valeur du sacrifice d'un agneau sans tache, et pourtant Caïn avait permis à sa colère d'atteindre un stade destructeur allant de la rage à la fureur vengeresse.

Si nous agissons bien, nous serons acceptés et nous parviendrons à dompter notre péché. Bien que la plupart d'entre nous n'aient pas littéralement assassiné leur frère, beaucoup ont prononcé des paroles, commis des actes, colporté des ragots qui ont causé des ravages considérables. Pour gérer efficacement notre colère, nous devons toujours commencer par répondre honnêtement à la question que Dieu a posée à Caïn : « Pourquoi es-tu irrité ? »

Père céleste,

Je viens à toi revêtu de la justice de Jésus. Seigneur, je veux que la vérité pénètre au fond de moi. Je te demande de m'éclairer, afin que je puisse savoir pourquoi je suis en colère. Sonde mon cœur et montre-moi à quelles occasions je me mets en colère pour que je puisse en comprendre la raison.

5
CRIMES PASSIONNELS

C'était une matinée radieuse. Ma chère amie Chris m'avait fait une petite visite avec ses enfants, et nous savourions ensemble un délicieux café agrémenté d'une boule de glace dans la véranda, derrière la maison. Nous regardions avec satisfaction nos quatre enfants jouer gaiement ensemble dans le jardin. Il n'y eut pas la moindre dispute entre mes deux enfants et les deux siens. Ils couraient entre les arbres et faisaient de la balançoire en profitant du soleil. Une douce brise avait chassé l'humidité de la Floride, et le téléphone n'avait pas sonné une seule fois. Nous avons bavardé toutes les deux pendant près d'une heure. Nous étions si bien l'une avec l'autre que nous en oubliions presque toutes les tâches qu'il nous restait à accomplir. Puis nous avons soupiré, sachant que nous ne pouvions pas rester ensemble plus longtemps. Nous avions terminé notre café et il serait bientôt l'heure de déjeuner. En appelant nos enfants, je pensai avec fierté : « Comme mes enfants sont heureux et équilibrés ! » Je leur caressai la tête pendant qu'ils franchissaient la porte-fenêtre. Un si bon comportement méritait bien une petite récompense... Ils s'étaient montrés si accueillants et avaient joué avec tellement de gentillesse !

« Attends un peu, Chris. Vous n'allez pas partir les mains vides ! Les enfants ont été si gentils que je voudrais leur donner quelque chose. » Je me rendis à la cuisine et pris un paquet de bonbons en forme de dinosaures.

« Voici un petit cadeau à manger après le repas. Vous pouvez en prendre deux chacun. Austin, charge-toi de la distribution ! »

Et je mis un tas de dinosaures dans la main de mon petit garçon de deux ans aux cheveux bouclés. Il tendit une main hésitante à son ami de six ans, qui s'empara sur le champ de deux friandises aux couleurs vives. Puis Addison, mon fils de quatre ans, en prit deux autres. La fille de mon amie s'apprêtait à prendre les siens lorsque, subitement, la main d'Austin se referma sur les bonbons. Il serra son petit poing de toutes ses forces.

« Austin, donne ses dinosaures à Richie ! l'encourageai-je.

— Non ! répliqua le petit garçon en me défiant du regard.

— Austin, il y en a beaucoup d'autres à la cuisine. Donne-lui en deux ! Si tu n'aimes pas ceux qui resteront, tu pourras en choisir d'autres dans le sac ! »

Pour toute réponse, il s'agrippa à notre boîte aux lettres en secouant la tête.

Je ne savais plus quoi faire. J'avais été conciliante, et je me rendais compte que j'aurais dû choisir une autre méthode pour distribuer les bonbons, mais il refusait de céder, et comme mon amie devait absolument s'en aller, je courus à la cuisine chercher le reste du paquet de bonbons et je l'offris à sa fille. Ils montèrent en voiture. Austin, lui, restait collé à la boîte aux lettres.

Je résolus de l'ignorer momentanément, fis mes adieux et excusai l'impolitesse de mon fils. Après avoir adressé à mon amie des saluts amicaux jusqu'à ce qu'elle soit hors de vue, je lançai : « Viens, Austin. On rentre ! » Addison m'obéit gaiement, mais Austin refusa de quitter son poste. Je me dirigeai vers la boîte aux lettres d'un air dégagé, espérant qu'aucun de mes voisins n'observait la scène. Malheureusement, une voiture passa juste au même moment. Je tentai de prendre l'air innocent tout en traînant mon petit rebelle hurlant et gesticulant sur la pelouse. « Pourvu que personne ne croie que je suis en train de le kidnapper ! » songeai-je.

Toute ma fierté de mère modèle s'était évanouie d'un coup.

Une fois rentrés dans la maison, les choses ne s'améliorèrent pas. J'ouvris son poing de force, en retirai les bonbons gluants et écrasés et lui intimai l'ordre de monter dans sa chambre jusqu'à ce qu'il soit calmé. Puis je me rendis à la cuisine. Mais il n'avait aucunement l'intention de se calmer ni d'aller dans sa chambre.

« J'irai pas dans ma chambre ! décréta-t-il.

— Mais si, tu iras ! objectai-je calmement tout en restant à la cuisine.

— Non, j'irai pas ! hurla-t-il à pleins poumons.

— Tu vas voir si tu n'iras pas. Tu vas m'obéir ! » Je gardais un ton calme et paisible.

« Non ! J'veux pas aller dans ma chambre ! » cria-t-il.

Cette fois, je m'aperçus que la voix ne venait plus de l'entrée, mais de l'escalier.

« Mais si, tu iras ! » répétai-je.

Je murmurai à Addison d'aller jeter un coup d'œil discret pour me dire où était Austin.

« Il est assis en haut de l'escalier, m'informa tout bas Addison.

— J'irai pas dans ma chambre ! » vociféra de nouveau Austin. Cette fois, j'ignorai purement et simplement ses menaces et je me lançai dans une grande conversation avec Addison. Pendant à peu près un quart d'heure, Austin continua à protester, mais avec de moins en moins de zèle. Puis je l'entendis déclarer d'un ton solennel : « Je vais pas dormir. Juste faire la sieste ! »

Il répéta cette phrase plusieurs fois, puis ce fut le silence. J'allai jeter un coup d'œil, m'attendant à le trouver assoupi en haut des marches, mais il avait disparu. Je montai l'escalier à pas de loup et je le trouvai endormi dans son lit.

Pourquoi luttons-nous avec un tel acharnement ?

Dans son for intérieur, Austin savait qu'il avait tort et qu'il avait besoin de dormir. Tout en protestant vigoureusement, il était allé faire la sieste. Pourquoi avait-il montré de telles réticences ? Il était visiblement à bout de forces !

Et nous, pourquoi luttons-nous avec un tel acharnement, en particulier quand nous sommes épuisés ? Je crois que, souvent, c'est pour le même motif que mon fils.

Souvent, les enfants montrent ouvertement ce que les adultes ont appris à masquer hypocritement.

Dans son esprit, il avait des raisons bien précises de protester. À tort ou à raison, il estimait avoir été agressé. Il ne voulait pas partager les dinosaures. En voyant que la pile qu'il avait dans la main diminuait, il avait craqué. Il avait fermé le poing, pour dire qu'il en avait assez donné. « Je ne veux plus écouter maman ni personne d'autre : je n'en cèderai plus un seul. » Lorsqu'il se réveilla de sa sieste, raisonnable et calmé, je lui expliquai qu'il s'était mal conduit et qu'il ne serait pas récompensé. *En fin de compte, il n'eut aucun dinosaure !*

Ne vous méprenez pas : je ne défends ni son comportement, ni son égoïsme. Souvent, les enfants montrent ouvertement ce que les adultes ont appris à masquer hypocritement. Derrière notre politesse, le fond est identique.

Au cours de l'affrontement, j'avais gardé mon sang-froid, non parce que je suis experte dans l'art de l'éducation (Qui peut prétendre à ce titre ? J'ai besoin chaque jour de la grâce et de la sagesse de Dieu dans l'arène de l'éducation de mes enfants), mais parce que je me reconnaissais en lui. J'avais souvent été en butte aux sentiments de frustration et d'injustice sans parvenir à les formuler. Aussi avais-je fait des déclarations d'indépendance déraisonnables, comme pour dire : « Bon, je le ferai, mais parce que vous m'y forcez, et lorsque je serai prête... Ce sera à mon heure et à ma façon. » Quand nous nous sentons lésés, cela nous irrite toujours. Nous avons l'impression, à tort ou à raison, qu'on abuse de nous.

Les gens sont ulcérés dans les domaines qui les touchent de très près.

Nous avons déjà défini la colère comme un état physique de vigilance accrue ; mais nous savons aussi qu'elle a un rapport avec la passion. Les gens sont ulcérés dans les domaines qui les touchent de très près.

Si, par exemple, vous me taquinez dans certains domaines, je ne me sentirai ni vexée, ni même contrariée. Ces domaines ont varié depuis que j'ai mûri et que mes intérêts comme mon système de références ont changé.

La passion de la colère

Quand j'étais au lycée, j'appréhendais par-dessus tout qu'on se moque de moi à cause de mon œil artificiel. Je me souviens en particulier d'un incident auquel j'ai réagi en explosant de rage. Lors d'un match de football, je me faufilais dans les gradins pour regagner ma place. J'avais toujours détesté cela parce que je devais bousculer tout le monde, ce qui m'ennuyait beaucoup. Ma place était tout au fond, et je me répandais en excuses en passant devant les spectateurs agacés. À un certain moment, un gros type grossier me lança : « Ne te gêne pas… bigleuse. » Mon visage vira aussitôt au rouge brique. Je m'arrêtai et me tournai vers lui : « Comment m'as-tu appelée ? » l'interrogeai-je, tout en me demandant s'il aurait le toupet de m'insulter en face. Il soutint mon regard et répéta : « Bigleuse ». Avant d'avoir eu le temps de réaliser ce que je faisais, je lui jetai tout le contenu de ma canette de Coca-Cola en plein visage, puis je me retournai pour chercher mes amis déjà installés parmi la foule des lycéens. Blême de rage, je poursuivis ma route parmi les spectateurs pétrifiés. Je ne me souviens plus de ce qu'il me déclara après sa douche forcée. Bien sûr, tout son entourage avait vu mon explosion de colère, alors que personne n'avait entendu ses mots. Je retrouvai mes amis et m'assis. On vint me dire que ce type avait résolu de me flanquer une raclée après le match, mais j'étais trop ulcérée pour m'en inquiéter. Je lançai une remarque mordante, du genre : « Qu'il vienne. Il ne me fait pas peur ! » mais c'était faux. J'étais terrorisée. Je m'accrochai à mes amis jusqu'à ce que je sois en sûreté dans la voiture de mes parents, et j'eus très peur en retournant en classe la semaine suivante. J'étais persuadée qu'il saurait me retrouver et qu'il me tuerait d'une manière ou d'une autre. Fait surprenant, jamais il ne me causa d'ennuis, mais je vécus constamment dans la crainte que quelqu'un ne s'en prenne de nouveau à mon œil, et cela se reproduisit souvent.

Ce genre de critique m'était insupportable. Lorsqu'on me traitait de Cyclope, je me mettais dans tous mes états. J'avais envie de quitter l'école en trombe pour me réfugier dans ma chambre. Mais cela s'est passé il y a plus de vingt ans. Aujourd'hui, je suis mariée et je me sens en sécurité, car je sais que mon mari et mes amis m'aiment. J'ai appris que mon aspect extérieur n'était pas ce qui comptait le plus (Merci Seigneur !) Depuis le lycée, mes horizons se sont élargis, et les expériences qui me semblaient dramatiques à l'époque sont moins cruciales à présent. Je suis devenue chrétienne et j'ai appris à regarder au-delà de moi-même.

Actuellement, je suis mariée et mère de quatre enfants. Peu m'importe qu'on m'insulte, mais lorsqu'on s'en prend à mes enfants, je vois rouge. Ils sont ma nouvelle passion ! Lorsqu'on les agresse, j'ai tendance à réagir au quart de tour et à tout faire pour qu'ils ne souffrent pas. À ce moment-là, je ne revis pas mes souffrances passées, mais je vole à leur secours comme une mère ourse protège ses petits. Je sais bien que mes réactions sont excessives ; j'essaie donc de me maîtriser et de voir si ma protection est vraiment nécessaire. Après tout, j'ai quatre fils, et ils ne paniquent pas aussi facilement que moi.

Réexaminons mon aventure sur les gradins. À l'époque, jamais je n'aurais pu m'empêcher de lancer cette canette au visage de celui qui m'avait prise à parti. Il m'aurait été impossible de ne pas relever l'insulte ou de faire mine de n'avoir rien entendu. Pour moi, c'était une question de vie ou de mort. Si le jeune homme était revenu à la charge, je me serais battue avec lui. Jamais je ne me serais excusée de lui avoir lancé du Coca en plein visage. J'étais une païenne ignorante et passionnée ! Mais aujourd'hui, où est passée ma passion ? Est-ce parce que j'en manque que je ne réagirai plus de la même façon à ce genre d'événement ? Non ! Je suis toujours passionnée, mais ce genre de remarque ne me touche plus autant qu'autrefois. Ce n'est plus une insulte. Cela ne veut pas dire que je ne suis pas susceptible dans d'autres domaines de ma vie, qui, du reste, ne seront peut-être plus les mêmes dans vingt ans.

Cela nous amène à préciser davantage notre définition de la colère. *C'est un état d'excitation physique et émotionnelle dans lequel nous nous préparons à défendre une cause qui nous passionne, et nous sommes passionnés lorsque quelque chose est important pour nous.* Généralement, nous ne nous fâchons pas pour des détails insignifiants, sauf s'ils ont un rapport avec un sujet plus important pour nous.

Examinons maintenant ce qu'est la passion. Trop souvent, notre culture limite ce terme à ce qui touche la sexualité. Mais la passion a un sens bien plus large, et elle se manifeste chez les êtres longtemps avant l'éveil du désir sexuel. Aussi avons-nous besoin d'une définition plus claire de ce mot. Cette définition est unique parce qu'elle touche à des émotions humaines extrêmes : l'amour et la haine. La passion est étroitement liée aux termes suivants exprimant l'attachement : *l'émotion, l'enthousiasme, l'excitation, le désir, le penchant, l'amour, l'affection l'infatuation, l'envie* et *la convoitise*. On lui associe également des mots plus forts exprimant une émotion extrême : *le feu, l'explosion, la fureur, le courroux, la colère, l'indignation, la rage, le ressentiment* et *la véhémence*.

Tout en gardant à l'esprit les sens du mot passion ci-dessus, penchons-nous ensemble sur un verset du livre de Jacques :

> « *Heureux l'homme qui supporte patiemment la tentation ; car, après avoir été éprouvé, il recevra la couronne de vie, que le Seigneur a promise à ceux qui l'aiment.* »
> (1.12)

Cette belle promesse est précédée d'un avertissement. Je crois que cela va exactement dans le sens de la mise en garde que Caïn a reçue. C'est une promesse de bénédiction à l'intention de ceux qui choisissent le sentier de la vie. Bien sûr, Caïn n'a ni supporté, ni vaincu la tentation, mais il a assassiné son frère. Les Écritures disent ensuite :

> « *Que personne, lorsqu'il est tenté, ne dise : C'est Dieu qui me tente. Car Dieu ne peut être tenté par le mal, et il ne tente lui-même personne. Mais chacun est tenté quand il est attiré et amorcé par sa propre convoitise.* »
> (1.13-14)

Que personne ne prétende que c'est à cause de Dieu qu'il est tenté.

Excuses, excuses

Que *personne* ne prétende que c'est à cause de Dieu qu'il est tenté. Je crois qu'on pourrait dire, en d'autres termes : N'essayez jamais de rejeter le blâme sur le Seigneur.

Peut-être vous souvenez-vous de l'héroïne de Flip Wilson, Géraldine, qui disait toujours pour s'excuser : « C'est le diable qui m'a poussée ! » Je ne pense pas que les croyants oseraient dire : « C'est Dieu qui a fait ça ! Il m'a poussé à commettre l'adultère » ou « C'est de sa faute si j'ai abattu cet homme ! » Je crois cependant que nous l'accusons indirectement lorsque nous disons : « Je n'ai pas pu m'en empêcher » ou « C'était plus fort que moi. » Car dans ce cas, nous contredisons le Seigneur, qui a dit que nous pouvions tout par Christ qui nous fortifie, alors que nous prétendons être incapables de résister au péché. Peut-être ne le dirons-nous pas de vive voix, mais en tout cas, notre manière de vivre le prouvera.

N'y attardez pas votre pensée

> « *Puis la convoitise, lorsqu'elle a conçu, enfante le péché ;
> et le péché, étant consommé, produit la mort.* »
>
> *(1.15)*

Lorsque nous laissons la bride sur le cou aux désirs ou aux passions qui hantent nos pensées, ils prennent corps et deviennent coupables. L'exemple classique est celui d'un homme et d'une femme qui se désirent sur le plan sexuel. Souvent, ils commencent par laisser leurs pensées vagabonder, et longtemps avant qu'il y ait passage à l'acte, ils se laissent aller à leurs fantasmes mentaux. Au début, il ne s'agira souvent que d'une pensée furtive pendant la journée, qui surprend celui dont elle traverse l'esprit (« Qu'est-ce qui me prend de penser à elle de cette façon ? ») Puis cela se transforme en méditations nocturnes (« Je me demande si elle est de nature affectueuse ? ») La ligne de démarcation qui sépare les fantasmes de la réalité est ensuite vite effacée. On ne se contente plus de penser l'un à l'autre ; on se désire. Tout d'abord, il s'agit d'un lien affectif, puis il devient physique. Les fantasmes ne suffisent plus... Il doit y avoir contact. (« Ressent-elle les mêmes choses que moi ? Je dois le savoir ! ») Le premier contact est innocent (on veut évaluer les réactions de l'autre) mais très vite, on passe à l'échelon suivant. Les flammes du désir ont été attisées par les pensées de chacun ; elles sont incontrôlables et menacent de consumer ceux qui s'y livrent si elles ne sont pas satisfaites. Viennent alors les attouchements, si excitants qu'ils balayent toutes les réticences de ceux qui s'y livrent. Ils débouchent sur l'adultère ou la fornication, puis sur la mort. Mort des mariages, qui se soldent par des divorces, mort de la liberté des esclaves de la chair, mort de la pureté sexuelle, puisque le lit conjugal est souillé.

C'est vrai aussi en ce qui concerne la colère. Quelqu'un vous offense ; au début, vous n'y pensez que de temps en temps. Vous ruminez ce que vous lanceriez à vos agresseurs si vous en aviez l'occasion. Si seulement vous pouviez leur dire leur quatre vérités ! Vous réfléchissez : à quelles autres personnes pourriez-vous raconter les offenses qu'on vous a infligées ? Après tout, elles pourraient peut-être vous conseiller ! S'il s'agit de quelqu'un avec qui vous avez été en relation pendant un certain temps, vous ressassez les affronts qu'il vous a infligés autrefois. Vous cumulez les griefs, qui envahissent de plus en plus vos pensées. Lorsque vous revoyez les individus incriminés, vous vous apercevez que vous êtes mal à l'aise en leur présence. Vous évitez de les regarder en face et vous éprouvez un faux sentiment de supériorité ou vous vous tenez à distance d'eux. Dans ce cas, on peut parler de ressentiment. Les affronts subis restent gravés dans votre mémoire. Vous vous montrez cassant ou impatient avec eux, et lorsque quelqu'un d'autre dit du bien d'eux, cela vous exaspère.

De la colère à la rancune, puis à...

Le péché est enclenché. La colère n'est plus une contrariété passagère, mais une rancune tenace. Elle s'est muée en rage, et ce dernier sentiment doit absolument s'extérioriser d'une manière ou d'une autre. Impossible de le contenir pendant longtemps ! Vous explosez : vous parlez à tort et à travers et tenez des propos diffamatoires pour discréditer vos adversaires. La rage cherche à punir ou à se venger à tout prix. La haine s'infiltre alors, suivie de la mort (relations brisées, confiance détruite, profondes racines d'amertume...) La mort représente toujours l'absence de vie. Elle noircit le cœur en gommant la vie.

La rage cherche à punir ou à se venger à tout prix.

> *« Quiconque hait son frère est un meurtrier, et vous savez qu'aucun meurtrier n'a la vie éternelle demeurant en lui. »*
>
> *(1 Jean 3.15)*

Examinons ce texte. Tout d'abord, il est dit *quiconque*. Cela comprend tous les hommes. Il n'y a pas de note en bas de page précisant : « À l'exception de tous ceux qui ont *vraiment* été maltraités par leurs frères ». Chaque fois que l'Écriture dit *quiconque*, cela implique que le texte s'applique personnellement à chacun d'entre nous en particulier. Nous n'avons pas le droit d'objecter : « Si vous saviez ce qu'ils m'ont fait ! »

Lorsque Dieu vous donne un mot d'ordre général comme celui-là, il ne s'agit pas seulement d'une doctrine à laquelle il veut que nous nous soumettions ; il désire également nous donner la force de la mettre en pratique. Dieu dit que quiconque hait son frère est un meurtrier. Cela va loin ! Je n'ai nulle envie d'être taxée de meurtrière. Et pourtant, je dois avouer que parfois, au cours de ma marche chrétienne, j'ai vu la haine se tapir dans les recoins obscurs de mon cœur. Cela signifie-t-il que je sois condamnée à être perpétuellement hors-la-loi, voire meurtrière ? Oui, si je la laisse subsister et proliférer en moi ; non, dans le cas contraire.

Chacun d'entre nous a expérimenté la grâce fortifiante et la miséricorde protectrice de Dieu. Aucun péché n'est trop sombre ou trop rempli de haine pour qu'il le pardonne. Le Seigneur ne fait-il pas grâce aux meurtriers ? Mais dans ce cas, pourquoi dit-il qu'aucun meurtrier n'a la vie éternelle en lui ? Tout d'abord, il existe une grande différence entre quelqu'un qui commet un meurtre physique, soit sous le coup de la passion, soit avec préméditation, pour se repentir ensuite de son crime, et quelqu'un qui vit en permanence en état d'homicide intérieur.

Nous devons voir cela dans la perspective du royaume, et non dans celle de notre système judiciaire. Lorsqu'un citoyen de cette terre en tue un autre, il subit une peine de prison en châtiment de ses crimes. Mais nous ne sommes plus de simples citoyens de cette terre, car les Écritures nous disent : « Ainsi donc, vous n'êtes plus des étrangers, ni des gens du dehors ; mais vous êtes concitoyens des saints, gens de la maison de Dieu » (Éph. 2.19).

Nous ne sommes pas gouvernés par les lois de cette terre, mais par celles des cieux. Ces dernières ne sont pas gravées dans de la pierre, mais dans notre cœur. Les lois mortes et sans vie gravées dans de la pierre sont pour des cœurs durs et sans vie. La loi de la liberté, elle, n'est pas destinée à des cœurs de pierre, mais à des cœurs de chair. 1 Jean 3.15 a été écrite aux chrétiens pour nous avertir que lorsque nous haïssons notre frère, nous n'avons plus la vie éternelle en nous. Dans les royaumes de la terre, vous devez tuer physiquement pour être taxé de meurtrier, mais dans le royaume de Dieu, il vous suffit de haïr pour le devenir.

> **Nous ne sommes pas gouvernés par les lois de cette terre, mais par celles des cieux.**

Nous remarquerons que les cœurs de chair ont une plus grande capacité d'aimer et de souffrir que les cœurs de pierre. Si nous nous laissons aller à haïr les autres parce qu'ils nous ont profondément blessés, nous perdrons lentement, mais sûrement la vie éternelle et le pardon de Dieu dans notre vie. Nous serons accablés et à bout de forces. Nous trouverons de plus en plus difficile de pardonner aux autres, même à ceux qui ne nous ont pas offensés, car à ce stade, la colère n'est plus ni fugitive, ni temporaire, mais elle devient notre passion. Vivre perpétuellement en fureur est épuisant. Au début, nos cœurs nous persuadent d'amener en pleine lumière notre vraie condition, puis ils commencent à nous condamner, alors que la lumière fait place aux raisonnements et à la rage.

> **Vivre perpétuellement en fureur est épuisant.**

Mais la vérité de la Parole de Dieu, comme un marteau, peut briser le cœur du chrétien le plus dur. J'ai déjà avoué avoir ressenti de la haine dans mon cœur depuis que j'étais devenue chrétienne. Suis-je pour autant condamnée pour toujours ? Non, car j'ai résolu de ne pas la laisser stagner en moi. Vous devez garder votre cœur et vous assurer qu'il est libre de tout grief que vous avez nourri, permettant ainsi à la colère d'enfler et d'aboutir à un état de rage ou de fureur.

Pour certains d'entre vous, le message de ce livre est semblable à ce marteau. À l'heure où vous lisez ces lignes, vous êtes même peut-être en train de combattre. Une petite voix vous rappelle les noms de ceux qui vous ont froissé et vous prie de leur pardonner et de leur faire grâce, tandis qu'une autre voix persiste à justifier votre haine et votre ressentiment à l'égard des autres. Soumettez-vous à la première voix. Cessez de justifier votre rage et laissez le Saint-Esprit cheminer plus près de vous sur le sentier de la vie.

> *Père céleste,*
>
> *Je viens à toi au nom de Jésus. Je confesse qu'il y a de la haine tapie dans mon cœur. Seigneur, je ne veux pas qu'elle y reste plus longtemps. Je choisis la vie, et non la mort, la bénédiction, et non la malédiction. Je renonce à la haine avec la même intensité que je le ferais s'il s'agissait de meurtre. Merci d'ouvrir les yeux de mon cœur et de me révéler la vérité. Apprends-moi à être en colère sans pécher.*

6

QUAND ÇA FAIT TROP MAL

Peut-être êtes-vous en train de penser : « Vous ne savez pas à quel point je souffre. Vous ignorez ce qu'on m'a fait. C'est vraiment trop dur ! » C'est vrai, je ne connais pas votre situation — mais Quelqu'un d'autre la connaît bien. Peut-être avez-vous été maltraité ou trompé par une personne à qui vous faisiez confiance. Ou vous avez été violée par un inconnu. Ou encore vous avez été abandonné par quelqu'un qui vous avait promis d'être toujours là. Ou votre enfant est mort après avoir été agressé, et vous ne savez plus où vous en êtes. On a maltraité quelqu'un que vous aimez. Vos parents vous ont déçu et rejeté — vous ne faisiez jamais rien à leur goût. On s'est moqué de votre couleur de peau. Vous êtes la risée de tous à cause de votre handicap. L'un de vos amis vous a trahi, etc.

> C'est ignoble, de la part de Satan, de planter ses semences ténébreuses dans le terreau de nos cœurs meurtris, mais c'est ce qu'il fait.

Les racines de l'amertume

Chacune de ces tragédies est si atroce qu'elle peut donner naissance à des racines d'amertume.

C'est ignoble, de la part de Satan, de planter ses semences ténébreuses dans le terreau de nos cœurs meurtris, mais c'est ce qu'il fait. Je crois que c'est lorsque nous sommes les plus vulnérables qu'il s'infiltre en nous. Il nous encourage à nous souvenir de notre souffrance, à la revivre et à ne pas la surmonter. En nous garantissant que si nous nous accrochons à notre douleur et que nous lui érigeons un mémorial dans notre cœur, cela nous préservera des agressions ultérieures, il nous dit des mensonges. Il nous encourage à ne pas renoncer à notre colère à la fin de la journée, mais à y puiser des forces en la laissant subsister dans notre vie, ce qui est aussi un mensonge.

Les cœurs brisés sont, comme des terres labourées, prêts à recevoir la semence. Dieu désire que nous prenions au sérieux son avertissement, que nous nous rapprochions de lui avec nos souffrances et que nous laissions le Saint-Esprit planter les semences de consolation de sa Parole dans nos cœurs blessés. Ces dernières peuvent croître lentement, mais elles guérissent et procurent la vie. Même si, au départ, vous vous sentez faible et vulnérable, les graines croissent en secret et guérissent progressivement votre être intérieur.

Satan aspire aussi à planter ses semences. Comme un lion à l'affût, il flaire les hommes blessés. Il nous voit nous coucher avec notre colère, et pendant que nous dormons d'un sommeil agité, il plante son ivraie d'amertume. Nous nous réveillons avec des envies de vengeance. Au départ, comme de la caféine, cela nous donne un coup de fouet. Mais l'effet est temporaire, et de même que la caféine prive notre corps des nutriments sains qui lui sont nécessaires pour accomplir son but, la racine de l'amertume étouffe les semences nourrissantes de la Parole de Dieu.

> La racine de l'amertume étouffe les semences nourrissantes de la Parole de Dieu.

Les mauvaises herbes poussent toujours plus vite et plus facilement que les bonnes semences. Ce sont des plantes sauvages qui s'adaptent à tous les types de sols qu'elles peuvent trouver. Par contre, les semences vivifiantes de fruits ou de légumes doivent être cultivées avec soin et sont vite étouffées par les mauvaises herbes ou les mauvaises conditions du sol.

« Veillez à ce que personne ne se prive de la grâce de Dieu ; à ce qu'aucune racine d'amertume, poussant des rejetons, ne produise du trouble, et que plusieurs n'en soient infectés. »

(Hébreux 12.15)

Veiller, c'est rester vigilant et être attentif. Ce verset nous avertit que la négligence dans ce domaine risque de nous priver de la grâce de Dieu. Elle donne naissance à une racine d'amertume. Cette description me fait penser aux moments où, quand j'étais petite, on m'avait chargée d'arracher les mauvaises herbes. Je bâclais toujours la tâche pour pouvoir retourner à mes jeux. Aussi me contentais-je souvent de cueillir la mauvaise herbe à la base sans prendre la peine d'arracher la racine, parce que cela me permettait de finir plus vite. Pour arracher les racines, en effet, il fallait creuser légèrement la terre, et je n'avais nulle envie de me compliquer la tâche. Après tout, puisque la tige et toutes les feuilles de la plante avaient été ôtées, elle ne survivrait sûrement pas, et ma mère n'irait jamais vérifier ce qui restait sous terre. Je mettais de la terre sur les bouts de tige qui restaient et je filais m'amuser… Mais quelques semaines plus tard, toutes les mauvaises herbes avaient repoussé. Elles étaient souvent plus petites que les premières, mais par contre, leurs racines avaient pris une ampleur considérable. Ma mère m'expliquait alors qu'il allait falloir creuser profondément autour de la base de la plante et mettre à nu une grande quantité de racines afin de venir à bout de la mauvaise herbe. Ce qui, au départ, était insignifiant avait pris une ampleur considérable.

Combien de fois agissons-nous de même à l'égard des jardins de notre cœur ? Nous ne prêtons guère d'attention aux mauvaises herbes, et au lieu d'extirper la racine cachée des faux raisonnements, nous nous contentons d'ôter la partie visible en espérant que personne ne s'apercevra qu'il reste une racine sous terre. Nous ne laissons pas le Saint-Esprit œuvrer en profondeur. Nous ne recevons pas ses paroles pénétrantes ; nous n'apprécions que celles qui aplanissent tous les obstacles. Apparemment, nous ne présentons pas de mauvaises herbes, mais en profondeur, nous nous débattons avec toutes sortes de problèmes non résolus. Les fleurs de notre parterre commencent à faner et à se flétrir, mais nous nous obstinons. Puis, tout à coup, la racine d'amertume produit des rejetons. Pendant qu'elle était sous terre, elle s'est mêlée aux racines des plantes saines et elle a pompé leur énergie.

Nous creusons autour de cette racine amère, stupéfaite de sa profondeur et de son ampleur. Nous mettons des gants afin de pouvoir l'agripper et nous tirons dessus de toutes nos forces, en prenant bien soin de mettre nos mains le plus près possible de sa base, pour lui éviter de se casser, ce qui laisserait encore un bout de racine dans le sol. Dans le processus, nous avons porté atteinte à de nombreuses fleurs, si bien que tout le monde peut voir les dégâts !

Comment une racine d'amertume peut-elle nous infecter ?

Les racines amères causent des troubles et des infections. Ce qui était pur auparavant est contaminé, entaché, dénaturé et corrompu. Nos tendres cœurs, dans lesquels la bonne semence a été plantée avec soin, sont envahis de racines tenaces de poison amer et destructeur. C'est pour cette raison qu'il nous est dit : « Garde ton cœur plus que toute autre chose, car de lui viennent les sources de la vie » (Prov. 4.23).

Les mauvaises graines pomperont et souilleront votre réservoir d'eau vive. Les racines produisent des mauvaises herbes, et vous vous sentez vide et souillé. Vous pouvez vivre pendant quelque temps sans nourriture, mais pas sans eau. « Plus que toute autre chose » signifie qu'il est de la plus haute importance de garder votre cœur. On met son armure là où on est le plus vulnérable. On enferme à double tour ce à quoi on tient le plus. Votre cœur est votre source de vie ou de mort, le réceptacle de votre âme. Il devrait être cadenassé et verrouillé, et on devrait poster un garde à toutes ses entrées.

Comment les racines d'amertume peuvent-elles nous infecter ? Dans Actes 8.23, Pierre a réprimandé le sorcier Simon en ces termes : « Car je vois que tu es dans un fiel amer et dans les liens de l'iniquité ». Simon avait cru et avait été baptisé, mais il subsistait des mauvaises herbes dans son cœur, ce qui l'avait incité à tenter irrévérencieusement d'acheter le don gratuit du

Les racines amères causent des troubles et des infections.

Saint-Esprit afin que ceux à qui il imposerait les mains puissent recevoir l'Esprit. L'amertume nous rend captifs du péché. À cause d'offenses non pardonnées, nous tentons d'employer les précieux trésors de Dieu pour nous défendre au lieu d'aider les autres. Par inadvertance, nous mêlons ce qui est précieux à ce qui est vil. Même si notre cœur reçoit des trésors purs et saints, ils sont vite souillés et pollués par la racine d'amertume qui réside à l'intérieur. La grâce de Dieu sert de permission de pécher au lieu de nous donner la force de marcher dans l'obéissance.

Débarrassez-vous de l'amertume

Dans l'épître aux Ephésiens, Paul nous avertit :

> *« Que toute amertume, toute animosité, toute colère, toute clameur, toute calomnie, et toute espèce de méchanceté disparaissent du milieu de vous. Soyez bons les uns envers les autres, compatissants, vous pardonnant réciproquement, comme Dieu vous a pardonné en Christ. »*
> *(Éphésiens 4.31-32)*

Dans les Colossiens, Paul nous incite à nous dépouiller de notre vieille nature, pour en revêtir une autre, renouvelée à l'image du Créateur. Nous cessons alors d'appartenir au royaume des ténèbres, et nous entrons dans le royaume de la lumière. Auparavant, les expressions malsaines du cycle de la colère avaient semblé nous protéger ; maintenant, nous prenons conscience qu'elles nous souillent et nous rendent esclaves.

Des racines d'amertume jailliront aux moments les plus inopportuns, lorsqu'il nous sera le plus difficile de les extirper. Mais malgré cela, elles risquent de devenir mortelles si nous les ignorons. Ne vous bercez pas d'illusions en les négligeant, ou en coupant juste la partie visible, pensant résoudre ainsi le problème. Ce ne sera pas le cas ; au contraire, il ne pourra qu'empirer. Trop souvent, nous nous figurons que tout va pour le mieux, alors qu'une tempête de grande envergure fait rage sous le vernis de fausse tranquillité.

Dans le passage ci-dessus, Paul associe l'amertume, l'animosité, la colère et la méchanceté à la rancune. Pour vous débarrasser de toute racine d'amertume, il faut pardonner et faire grâce à ceux qui

> Pour vous débarrasser de toute racine d'amertume, il faut pardonner et faire grâce à ceux qui vous ont profondément blessé.

vous ont profondément blessé. Je n'ai jamais dit que ce serait facile, mais je vous garantis que si vous ne le faites pas, vous aurez de gros problèmes. Nous prions : « Pardonne-nous nos offenses, comme nous aussi nous pardonnons à ceux qui nous ont offensés » (Matt. 6.12). Cela signifie qu'en fait, nous demandons au Seigneur de nous pardonner de la même manière et dans la même mesure que nous pardonnons aux autres.

Dans l'évangile de Luc, il nous est dit : « Pardonne-nous nos péchés, car nous aussi nous pardonnons à quiconque nous offense » (11.4). Cela signifie que la base à partir de laquelle nous demandons le pardon des autres conditionne le nôtre. Nous sommes invités à être bons et compatissants envers les autres et à leur pardonner, de la même façon que Dieu nous a pardonnés en Christ. Cela signifie que nous les tenons totalement quittes. Ils ne nous doivent absolument plus rien !

Un pardon essentiel

> « Si vous pardonnez aux hommes leurs offenses, votre Père céleste vous pardonnera aussi ; mais si vous ne pardonnez pas aux hommes, votre Père ne vous pardonnera pas non plus vos offenses. »
>
> *(Matt. 6.14-15)*

Ce verset n'a nul besoin d'explications. Il est très clair, et il a été prononcé par Jésus lui-même. Si vous pardonnez, votre Père céleste vous pardonnera. Sinon, votre Père céleste ne vous pardonnera pas. Nous retrouvons cette pensée dans l'évangile de Marc : « Mais si vous ne pardonnez pas, votre Père qui est dans les cieux ne vous pardonnera pas non plus vos offenses » (Marc 11.26).

Cela ôte toute ambiguïté. Si nous voulons garder nos cœurs avec diligence, nous devons à tout prix pardonner. Dans l'une de ses lettres à l'église de Corinthe, Paul, père spirituel et apôtre des croyants, a expliqué :

> *« Or, à qui vous pardonnez, je pardonne aussi ; et ce que j'ai pardonné, si j'ai pardonné quelque chose, c'est à cause de vous, en présence de Christ, **afin de ne pas laisser à Satan l'avantage sur nous, car nous n'ignorons pas ses desseins.** »*
>
> *(2 Cor. 2.10-11, gras ajoutés)*

Quel était le rapport entre Satan et le pardon que Paul accordait à ceux que les saints de Corinthe avaient graciés ? C'est que Satan tire avantage de ceux qui sont aveuglés par l'amertume et les rancœurs, et que Paul voulait servir de garde-fou à ce précieux groupe de croyants. Souvenez-vous, comme l'affirme expressément la Bible, que nous ne luttons pas contre des personnes. Notre combat n'est pas dirigé contre ce qui est visible, mais contre un royaume invisible, afin que nous puissions vivre en paix dans ce monde.

Pardonner : un combat

> *« Revêtez-vous de toutes les armes de Dieu, afin de pouvoir tenir ferme contre les ruses du diable. Car nous n'avons pas à lutter contre la chair et le sang, mais contre les dominations, contre les autorités, contre les princes de ce monde de ténèbres, contre les esprits méchants dans les lieux célestes. »*
>
> *(Éph. 6.11-12)*

Vous n'avez pas à combattre contre ceux qui vous ont offensés, mais contre l'ennemi éternel de votre âme. Le passage suivant nous donne davantage d'éclaircissements sur les recoins obscurs de la rancune. Je vous prie de le lire comme vous ne l'avez jamais fait auparavant, car il contient un axiome précieux et important sur le royaume de Dieu.

> *« C'est pourquoi le royaume des cieux est semblable à un roi qui voulut faire rendre compte à ses serviteurs. Quand il se mit à compter, on lui en amena un qui devait dix mille talents ; Comme il n'avait pas de quoi payer, son maître ordonna qu'il soit vendu, lui, sa femme, ses enfants, et tout ce qu'il avait, et que la dette soit acquittée. Le serviteur, se jetant à terre, se prosterna*

> *devant lui, et dit : Seigneur, aie patience envers moi, et je te paierai tout. Ému de compassion, le maître de ce serviteur le laissa aller, et lui remit la dette. »*
>
> **(Matt. 18.23-27)**

Dans notre culture, nous ne comprenons pas ce que signifie le pouvoir de vie et de mort qu'exerçaient les rois. Nous pouvons, tout au plus, être traduits en justice pour surendettement. Mais, essayez, pendant quelques instants, de vous mettre à la place de cet homme. Imaginez à quel point, en tant que serviteur du roi, vous seriez terrifié. Depuis des semaines, vous entendez dire que le roi règle ses comptes avec ses sujets. Vous venez de recevoir une convocation au palais. Vous avez supplié Dieu de vous permettre de passer à travers les gouttes. Vous savez très bien que vous avez mal géré l'argent qui vous avait été confié, mais jamais vous n'avez cru devoir en rendre compte. Vous savez que votre dette est considérable, mais cela fait longtemps que vous ne faites plus vos comptes. Ce qui est sûr, en tout cas, c'est que vous ne pouvez absolument pas la payer.

Vous voici donc dans l'antichambre de la salle du trône, attendant votre tour de comparaître devant le roi. Vous essayez de rester calme ; peut-être vous accordera-t-il un délai ? Mais vous tremblez comme une feuille. Enfin, on vous mène devant lui. Votre dette est encore plus élevée que vous l'aviez imaginé. Vous ne parviendrez jamais à la régler ! Vous n'aurez jamais assez de ressources ! Le roi ordonne que vous soyez vendu avec votre femme, vos enfants et tous vos biens, et il vous fait signe de partir. Mais avant que les gardes aient eu le temps de se saisir de vous pour vous expulser, vous vous jetez aux pieds du roi et vous le suppliez de faire preuve de patience, en lui affirmant qu'un jour, vous lui paierez tout. Au moment où les gardes vous saisissent pour vous traîner au dehors, le roi se retourne à nouveau vers vous et voit votre désespoir et votre impuissance ; il pense aussi à votre femme et à vos enfants. Il sait que vous avez mal géré votre argent, mais il considère votre agonie et votre terreur, et il est ému de compassion. Alors, au lieu de vous accorder un délai, il vous remet purement et simplement votre dette, et il ordonne aux gardes de vous libérer. Puis il se lève et quitte la salle, à l'ébahissement général. Vous deviez davantage que tous ceux qui vous ont précédé, et vous voilà totalement pardonné !

Nul ne sait que faire ensuite. Les gens viennent d'avoir une démonstration époustouflante de la bonté de leur roi. La miséricorde a triomphé d'un juste jugement. Encore sous le choc, vous ne savez pas si vous devez rire ou pleurer. En quittant le palais, vous avez envie d'embrasser les gardes ! Vous rentrez chez vous et annoncez la merveilleuse nouvelle à votre famille : c'est alors une explosion de joie générale ! Un fardeau inimaginable et impossible à porter vient d'être déchargé de vos épaules.

Le temps passe ; l'immensité de la miséricorde royale et les affres de la menace d'emprisonnement s'effacent peu à peu de votre mémoire. Certes, vous êtes toujours reconnaissant ; après tout, sans la bonté du roi, vous ne jouiriez plus de tout ce qui vous entoure, et vous en profitez d'autant plus que, maintenant, tout est à vous. Au bout d'un certain temps, vous commencez même à vous dire que si le roi vous a pardonné, c'est qu'il a compris votre position. Il savait que vous ne méritiez pas d'être châtié durement. Pour vous, la page est tournée, le cauchemar terminé. Vous ne devez plus rien à personne… Mais, au fait, l'inverse n'est pas vrai ! Comme vous ne voulez plus jamais être vulnérable, il est temps d'aller récupérer ce qu'on vous doit !

> *« Après qu'il fut sorti, ce serviteur rencontra un de ses compagnons qui lui devait cent deniers. Il le saisit et l'étranglait, en disant : Paie ce que tu me dois. Son compagnon, se jetant à terre, le suppliait, disant : Aie patience envers moi, et je te paierai. Mais l'autre ne voulut pas, et il alla le jeter en prison, jusqu'à ce qu'il ait payé ce qu'il devait. »*
>
> *(Matt. 18.28-30)*

N'est-il pas étonnant que cet homme ait utilisé les mêmes mots que ceux que le serviteur avait employés à l'égard du roi pour implorer miséricorde, et que le serviteur ne s'en soit pas rendu compte ? Non seulement il a exigé d'être payé, mais il a saisi son compagnon à la gorge, a refusé de faire preuve de patience, et l'a jeté en prison jusqu'à ce qu'il ait payé sa dette. Il a infligé, dans toute sa rigueur, le jugement auquel il avait lui-même échappé. Pourtant, il aurait pu s'inspirer de l'extraordinaire exemple qu'il avait reçu, mais il s'y est refusé. Il avait déjà endurci son cœur et oublié la grâce qui lui avait été faite.

AU SECOURS, JE VAIS EXPLOSER !

> *« Ses compagnons, ayant vu ce qui était arrivé, furent profondément attristés, et ils allèrent raconter à leur maître tout ce qui s'était passé. Alors le maître fit appeler ce serviteur, et lui dit : Méchant serviteur, je t'avais remis en entier ta dette, parce que tu m'en avais supplié ; ne devais-tu pas aussi avoir pitié de ton compagnon, comme j'ai eu pitié de toi ? Et son maître, irrité, le livra aux bourreaux, jusqu'à ce qu'il ait payé tout ce qu'il devait. »*

(Matt. 18.31-34)

Vous remarquerez qu'il est appelé un *méchant serviteur*. Si l'homme était serviteur du roi, il n'avait pas son bon cœur. Le roi avait espéré que sa bonté aurait conduit cet homme à la repentance, puis à la compassion envers les autres, mais ce n'était pas le cas. Comme le roi avait déployé en vain sa miséricorde, il le chargea de nouveau de sa dette, mais cette fois, au lieu d'être vendu, il fut livré aux bourreaux pour être tourmenté jusqu'à ce qu'il ait payé ce qu'il devait, ce qui n'arriverait jamais. Cet homme, jadis pardonné, avait laissé passer sa chance, qui ne reviendrait plus. Et comme Jésus veut absolument que son message porte du fruit, il conclut clairement :

> *« C'est ainsi que mon Père céleste vous traitera si chacun de vous ne pardonne à son frère de tout son cœur. »*

(Matt. 18.35)

Une dette impossible à régler

Nous sommes les serviteurs insolvables.

Le roi, c'est notre Père céleste, et nous, nous sommes les serviteurs insolvables. Quant aux autres, ce sont nos frères et sœurs en Christ. Chacun de nous *doit* pardonner du fond du cœur les offenses qu'on lui inflige. Lorsque nous ne le faisons pas, nous emprisonnons les autres dans des chaînes de culpabilité et de condamnation, et nous aussi, nous sommes tourmentés, ici-bas ou dans le monde à venir.

Je sais comment on se sent lorsqu'on a une dette impossible à rembourser, car avant d'être chrétienne, j'ai accumulé les péchés. Lorsque John m'a conduite à prier pour mon salut, il m'a fait répéter après lui : « Seigneur, je confesse mes péchés ». Je l'ai regardé, prise de panique : « Je ne sais pas si je peux me les rappeler tous ! » J'avais peur que ce salut si proche ne me soit pas accessible à cause de ma liste impressionnante de forfaits.

« Non, tu n'es pas obligée de les énumérer tous ; confesse simplement que tu as péché. » John m'a assurée que c'était la seule chose nécessaire. J'étais réconfortée parce que j'étais certaine que Dieu s'en souvenait beaucoup mieux que moi. Je savais que j'étais une pécheresse et que j'avais besoin de la grâce de Dieu.

Mais très peu de temps après ma conversion, j'éprouvai de la rancune à l'égard des autres chrétiens ou « serviteurs du roi ». J'estimais qu'ils me devaient des excuses. Au chapitre suivant, nous discuterons en détail du piège du jugement dans lequel je suis tombée à pieds joints. Au cours de cette période, j'ai connu de multiples combats spirituels, et je me suis sentie la cible de l'adversaire. J'étais une chrétienne victime des machinations du diable. À l'époque, j'ai passé beaucoup de mes moments de prière à essayer de me dégager en vain des liens que je me forgeais moi-même. Quand j'ai fini par voir la vérité, j'ai compris que ce qu'on me faisait importait peu. Cela n'avait aucune importance que j'aie raison et que les autres aient tort. La seule chose qui comptait, c'était que le Seigneur m'avait ordonné de pardonner comme j'avais été pardonnée, et que je ne lui obéissais pas. J'étais stupéfaite de m'être autant abusée. J'avais cru être juste, alors que je me trompais du tout au tout. À ce moment-là, j'ai pardonné du fond du cœur, puis j'ai crié au Seigneur de me laver dans le fleuve purificateur de sa miséricorde, et il l'a fait. J'ai été liée et j'ai été libérée, et la liberté est meilleure. Quelles que soient les humiliations que vous devez essuyer, mieux vaut être libre que de boire les eaux empoisonnées de la rancune. Et vous, où en êtes-vous ? Êtes-vous las de manger les fruits amers et empoisonnés produits par une racine d'amertume dans votre vie ? Dans ce cas, la première chose à faire est de vous repentir honnêtement. Vous devez vous détourner de la haine et de l'amertume pour laisser le grand Jardinier arracher les mauvaises racines qui encombrent votre cœur et qui étouffent votre position en Christ.

> J'ai été liée et j'ai été libérée, et la liberté est meilleure.

Cher Père céleste,

Je viens à toi au nom de Jésus. Il y a de l'amertume dans mon cœur. Pendant que je dormais, l'ennemi a semé son ivraie. Sépare maintenant ce qui est précieux de ce qui est vil, ce qui est vivifiant de ce qui est desséchant. Je renonce aux mensonges de Satan et à ses stratagèmes dans ma vie. Je ne veux plus écouter ses raisonnements pervers. Déterre chaque racine et extirpe-la par ton Saint-Esprit. Montre-moi ceux à qui il faut que je fasse grâce. Pour t'obéir, je les libère de toutes les prisons dans lesquelles je les ai enfermés. Ils ne me doivent rien, pas même des excuses. Je les place entre tes mains, car toi seul es le juste Juge.

7
OUF... CE N'EST PAS À NOUS DE JUGER !

Ne jugez point, afin que vous ne soyez point jugés (Matt. 7.1). Juger autrui, qu'est-ce que cela veut dire ? Dans ce cas, c'est « condamner, punir, mettre à l'écart ». Lorsque nous sommes fâchés ou ulcérés contre un individu ou un groupe, nous risquons toujours de passer au niveau suivant (la rage) qui nous incite à juger les autres. Nous voulons les marquer au fer rouge, parce que cela nous permettra de les discréditer ou de dénigrer la position qu'ils occupent. Les juger, c'est tenter de nous déculpabiliser.

Dans ce livre, nous parlons avant tout de la colère. Aussi est-il important d'être pratiques. Je crois que cela implique que nous présentions les choses d'une manière telle qu'elles peuvent être mises en application.

Juger, c'est tenter de nous déculpabiliser.

Juger pour se justifier

Juger est un mécanisme de défense. *Si la colère dans sa forme la plus pure n'est qu'un désagrément passager, le jugement, lui, est un rejet permanent.* Pour illustrer cela, je vais puiser de nouveau dans ma longue liste de faux-pas.

Je vous ai déjà expliqué que c'est mon mari, John, qui m'a amenée au Seigneur. En 1981, nous avons fréquenté tous les deux les cours d'été de l'université Purdue. Je n'étais pas chrétienne, mais John avait eu à cœur de m'inviter à un pique-nique d'étude biblique organisé par l'un de nos professeurs et son épouse. Ce couple pieux avait ouvert sa maison depuis des années afin d'inculquer la Parole de Dieu aux étudiants. Les Blake autorisaient même John à enseigner au cours de leur étude biblique hebdomadaire, afin qu'il puisse croître dans la foi et faire ses premières armes. De nombreux étudiants (dont quelques ravissantes jeunes chrétiennes) assistaient à ces études bibliques à domicile. Lorsque John s'y rendit en ma compagnie — moi qui étais la brebis galeuse du campus — tout le monde fut choqué. John était-il rétrograde ? Savait-il vraiment qui j'étais ? Étais-je un suppôt de Satan qui menaçait le dirigeant de leur étude biblique ?

En réalité, j'étais tout simplement une étudiante attirée par la perspective d'un bon repas gratuit. Au départ, je n'étais pas spécialement intéressée par John. Il était gentil, et je ne sortais pas avec ce genre de garçons. Au pique-nique, je me souviens m'être sentie particulièrement mal à l'aise. Tout le monde employait des expressions chrétiennes bizarres et incompréhensibles pour moi. Après le repas, nous nous sommes tous rassemblés dans le salon pour adorer le Seigneur. Je ne connaissais aucun des cantiques, malgré les feuilles avec les paroles qu'on avait fait circuler. Je balayais la salle du regard pour voir si les autres étaient aussi perdus que moi. Il s'agissait d'un groupe interconfessionnel, et certains des étudiants levaient parfois la main. Je me demandais : « Qu'est-ce qu'ils ont ? Ils veulent poser une question, ou quoi ? » J'étais nerveuse et mal à l'aise, aussi, pour me donner une contenance, je me plongeai dans ma feuille de chants. Et alors, une phrase me frappa : « Quand il me regarde, il ne voit plus ce que j'étais, mais il voit Jésus. »

Dieu pouvait-il vraiment me regarder sans voir mon péché ?

Les questions se bousculèrent dans ma tête. Était-ce possible ? Dieu pouvait-il vraiment me regarder sans voir mon péché ? Pouvait-il passer par-dessus tout ce que j'avais fait ? Au début, j'étais submergée de honte en pensant à mon péché. C'était pour moi un vêtement infamant. Je sentais le jugement de Dieu, mais aussi l'esprit qui me cherchait. Je me suis tournée vers John, qui chantait. « C'est vrai, ça ? lui demandai-je en montrant du doigt la phrase qui m'avait frappée. Dieu peut-il me regarder sans me voir ? »

John me garantit que c'était la vérité, quoiqu'il fût totalement inconscient de ce qui se passait à l'intérieur de moi. Je commençai à entendre une voix, celle de ma conscience, qui me disait : « Je ne peux pas te regarder ». Et je savais pourquoi. C'était parce que je n'étais pas en Christ. J'étais dans le péché et la mondanité. Je le comprenais de mieux en mieux, et je sentais une étrange peur m'envahir. Je luttais pour ma destinée éternelle.

Après le pique-nique, j'ai arpenté le campus avec John pendant des heures et il m'a expliqué l'Évangile. Pour la première fois, j'étais capable de le comprendre. Toutes les pièces du puzzle s'assemblaient. Je sentais que ma vie allait prendre un tournant décisif. C'était un moment très intense. Comme j'avais l'impression de ne pas pouvoir attendre davantage, j'interrompis John.

« Je veux faire ça. Comment dois-je m'y prendre ? Ai-je besoin d'une Bible ? Devons-nous allumer des bougies ? »

Après s'être assuré que je comprenais bien ce que je faisais, John pria avec moi, et j'eus l'impression qu'un énorme fardeau était déchargé de mes épaules. Je rejoignis ma chambre sur un petit nuage et passai la plus grande partie de la nuit à chercher le « livre de Paul » que John avait (selon moi) cité à plusieurs reprises ; j'étais persuadée qu'il y avait un livre de ce nom quelque part, et que Paul était l'un des douze premiers disciples.

Le lendemain matin, pendant que je faisais mon lit, Dieu m'a clairement montré que John deviendrait un jour mon mari. À l'époque, c'était totalement différent de mes expériences précédentes. J'aimais bien John ; après tout, c'était lui qui m'avait amenée au Seigneur et qui m'avait sauvée de l'enfer ! Mais j'avais toujours été attirée par des hommes malsains, et pour de mauvaises raisons. John était le premier jeune homme « bon » à faire son entrée dans ma vie. En même temps que Dieu me révéla sa volonté, il parla aussi à John, qui me demanda en mariage un peu plus d'un mois après.

J'étais persuadée que le Seigneur nous bénirait. Si certaine, en fait, que je n'avais écouté que d'une oreille les séances de conseils prénuptiaux. Ce type d'avertissements n'était nécessaire que pour les pauvres couples qui n'avaient pas été réunis par le Seigneur. Nous, nous étions au-dessus de cela. Nous n'aurions sûrement aucune difficulté ! Ce fut seulement au bout de quelques mois de mariage que les problèmes surgirent.

La vision de l'homme parfait

Le problème, c'est que j'avais des idées préconçues, comme beaucoup de jeunes mariées : je me représentais « l'homme idéal ». Dans mon esprit, il ressemblait beaucoup à John, mais il n'agissait pas du tout comme lui. Au début de notre mariage, j'ai découvert le sens profond de mon existence : j'avais été placée dans la vie de John pour l'amener à être en tous points conforme à l'homme de mes rêves. Pour accomplir cette tâche titanesque, j'avais reçu une onction spéciale : sans faire le moindre effort, je pouvais voir ses moindres failles. Au début, j'avais essayé de le transformer par la douceur ; ensuite, devant l'échec de mes premières tentatives, j'étais passée à la manière forte. Il fallait à tout prix que je parvienne à le rendre parfait, mais John ne se montrait pas très coopératif. En fait, il résistait de toutes ses forces ! Il se permettait même de penser que c'était à moi de changer ! C'est à ce moment-là que nous avons commencé à nous affronter pour de bon.

J'essayais de changer John, et John essayait de me changer. Notre mariage béni était devenu un champ de bataille où s'opposaient deux adversaires à forte personnalité. Lorsque nous croisions le fer, cela faisait des étincelles ! Nos combats me révélaient aussi autre chose. John et moi, nous avions des façons de combattre très différentes. John s'attaquait aux problèmes, alors que moi, je m'en prenais aux gens. Cet homme merveilleux qui m'avait amenée au Seigneur était devenu ma cible, et je ne le combattais pas loyalement. Si John me blessait, je le punissais. Je le traitais de tous les noms, le privais de toute marque d'affection et brisais des objets. (Vous vous souvenez de l'assiette qui est passée par la fenêtre ?) Je

Nous jugeons les autres pour tenter de justifier notre rancune ou notre rage à leur égard.

voulais lui rendre la monnaie de sa pièce, le blesser comme il m'avait blessée.

Quand John me froissait, je le jugeais, et je lui fermais la partie de moi-même qui avait été outragée dans l'espoir illusoire de me préserver de souffrances ultérieures.

Si, par exemple, il me vexait, je le traitais d'imbécile, ou pire encore. Dans mon esprit, cela servait tout simplement à le disqualifier ou à minimiser son opinion. Si je ne lui prodiguais plus aucune marque d'affection, c'est parce que je le jugeais indigne de mon amour, de mon attention ou de mon pardon. Le problème, c'est que lorsque ce genre d'incidents se reproduit sans cesse, nous ne nous contentons pas de rejeter certains points de la personne concernée — nous finissons par la rejeter en bloc. Nous jugeons les autres pour tenter de justifier notre rancune ou notre rage à leur égard.

Jugez les actes, et non le cœur

« Vous avez entendu qu'il a été dit aux anciens : Tu ne tueras point ; celui qui tuera est passible de jugement. Mais moi je vous dis que quiconque se met en colère contre son frère est passible de jugement ; que celui qui dira à son frère : Raca ! mérite d'être puni par le sanhédrin ; et que celui qui lui dira : Insensé ! mérite d'être puni par le feu de la géhenne. »
(Matt. 5.21-22)

Nous pouvons nous mettre en colère pour une raison valable, mais sans détruire ni condamner pour autant.

De nouveau, Jésus a établi un parallèle entre le meurtre et la haine. Il nous montrait que sous la loi de Moïse et le système terrestre de justice, les meurtres étaient passibles de jugement, mais ensuite, Jésus s'est placé dans une perspective radicalement différente. Souvenez-vous que nous pouvons nous mettre en colère pour une raison valable, mais sans détruire ni condamner pour autant. Puis Jésus nous a donné un exemple pratique : celui qui dit à son frère : « Raca ! » mérite d'être puni par le sanhédrin, et celui qui lui dit : « Insensé ! » s'expose aux flammes de l'enfer.

Pour saisir le sens de ces paroles, nous devons essayer de mieux les comprendre. Le commentateur Matthew Henry l'explique de cette manière : Raca est « un terme dédaigneux » qui signifie « homme vide, stupide » ; cela évoque quelqu'un qui n'a aucun sens. Raca pourrait être employé pour ramener quelqu'un à la raison quand il se conduit d'une façon insensée. C'est de cette manière que Jésus, Jacques et Paul l'ont employé. Mais s'il était prononcé avec un cœur rempli de colère, de malveillance ou de calomnie, il constituait un grave affront. Ce genre de commentaire plaçait les Israélites sous la discipline du sanhédrin, pour cause d'insulte à un frère israélite.

Quant au terme « insensé », il ne faisait pas allusion à quelqu'un qui n'avait plus son bon sens, mais qui était privé de la grâce. Il était malveillant et haineux. Il impliquait que les autres étaient non seulement méchants et méprisables, mais aussi vils et détestables. Il s'en prenait à la condition spirituelle des individus, les censurant et les condamnant sous prétexte qu'ils étaient abandonnés par Dieu.

Sachant cela, on comprend aisément pourquoi l'individu qui taxait son frère d'insensé courait le risque d'être jugé par Dieu, car il s'était érigé en juge du cœur des autres, et pas seulement de leurs actions. Dire à quelqu'un que ses actes sont insensés est une chose ; prétendre qu'il est rejeté par le Seigneur à jamais en est une autre.

L'appel à la justice

Mais alors, pourquoi est-il si facile de juger et si difficile de ne pas le faire ? Tout d'abord, en tant qu'humains créés à l'image de Dieu, nous avons un désir instinctif de voir la justice triompher. Notre nouvelle nature aspire au règne du bien. Dieu, notre Père a compris cela, et c'est lui qui a mis sur pied la base même de notre système judiciaire : « Tu établiras des juges et des magistrats dans toutes les villes que l'Éternel, ton Dieu, te donne, selon tes tribus ; et ils jugeront le peuple avec justice » (Deut. 16.18).

Pourquoi est-il si facile de juger et si difficile de ne pas le faire ?

Dieu savait très bien que chaque fois qu'il y a plus d'une personne dans une pièce, le conflit est possible. Il n'ignorait pas non plus que chacun camperait sur ses positions et prétendrait avoir raison. Aussi avait-il pris des dispositions en conséquence. Les enfants d'Israël étaient encore esclaves de l'Égypte peu de temps auparavant ; là, ils avaient vu des conflits se résoudre par la violence et l'intimidation. Ils n'avaient jamais eu de modèle positif dans ce domaine. N'est-ce pas le cas de beaucoup d'entre nous ?

Ils avaient grandi en Égypte, sous des lois et des statuts païens, et ils devaient tenter de vivre sous la nuée protectrice de Dieu. Mais notre Seigneur est saint, juste, aimant et redoutable. Il n'avait rien à voir avec les statues de pierre et les idoles qu'ils croyaient être des dieux avant d'avoir trouvé le Tout-Puissant. Comme lui, nous devons servir en esprit et en vérité.

> *Dieu savait très bien que chaque fois qu'il y a plus d'une personne dans une pièce, le conflit est possible.*

Alors, Dieu dit à Moïse, par l'intermédiaire de Jéthro, son beau-père, de choisir « parmi tout le peuple des hommes capables, craignant Dieu, des hommes intègres, ennemis de la cupidité » et de les établir comme chefs (Ex. 18.21). Pour se qualifier, ces hommes devaient commencer par craindre le Seigneur, par se montrer honnêtes et par ne pas tirer profit de leur position. Puis ils devaient être nommés au-dessus des autres.

> *« Lorsque l'Éternel leur suscitait des juges, l'Éternel était avec le juge, et il les délivrait de la main de leurs ennemis pendant toute la vie du juge ; car l'Éternel avait pitié de leurs gémissements contre ceux qui les opprimaient et les tourmentaient. »*
>
> *(Juges 2.18, gras ajoutés)*

Le Seigneur Dieu honorait ces fonctions en plaçant sa main sur la vie du juge. Chaque fois qu'il suscitait un juge, il lui communiquait sa force et sa protection. Sous l'ancienne alliance, Dieu transmettait au peuple sa sagesse et sa volonté par l'intermédiaire de ces hommes qu'il avait choisis. Il leur donnait une mesure de son Esprit afin qu'ils puissent comprendre ses lois et ses statuts et avoir le discernement nécessaire pour juger justement le peuple de Dieu, mais ces juges désignés par le Seigneur ne jugeaient que les actions du peuple, puis étaient de fidèles exécutants de la volonté de Dieu et non de la leur. Ils constituaient un modèle et un signe précurseur de la nouvelle manière de vivre que Christ a mise en nous.

Sous la nouvelle alliance, nous n'avons plus de juges établis sur nous, mais un nouveau Médiateur nous a été donné.

> « Et moi, je prierai le Père, et il vous donnera un autre consolateur, afin qu'il demeure éternellement avec vous, l'Esprit de vérité, que le monde ne peut recevoir, parce qu'il ne le voit point et ne le connaît point ; mais vous, vous le connaissez, car il demeure avec vous, et il sera en vous. »
> (Jean 14.16-17)

La lutte pour ne pas juger

Pour nous, ne pas juger est un combat permanent. Nous aimons cataloguer les choses. Si nous savons ce qui se trouve dans chaque compartiment, nous sommes plus à l'aise, un peu comme les pharisiens. Je me souviens avoir été tourmentée dans mes pensées par une situation qui s'est produite alors que je n'étais chrétienne que depuis peu de temps. Je n'arrivais pas à la cataloguer.

Il s'agissait d'un couple chrétien. Les deux conjoints voyageaient ensemble pour servir le Seigneur. Tous deux témoignaient de la façon dont Dieu les avait unis par le mariage. J'avais eu l'occasion de passer du temps avec chacun d'eux, et je sentais bien qu'ils aimaient le Seigneur et les chrétiens. Mais subitement, d'affreuses rumeurs se mirent à circuler, et peu de temps après, tous deux annoncèrent leur divorce. Cela me fit un choc. J'avais moi-même des problèmes conjugaux, et je comptais sur Dieu pour les résoudre, car j'étais certaine qu'il nous avait réunis, John et moi. Et voilà que ce couple, qui s'était targué d'avoir été uni par Dieu, avait fait une croix sur son mariage ! De plus, la femme épousa un autre homme peu de temps après.

> Pour nous, ne pas juger est un combat permanent.

Ma confiance en fut ébranlée. Dieu pouvait-il intervenir dans notre mariage ? Je me sentis alors poussée à prendre ce couple en faute. Si je parvenais à le faire, je pourrais le cataloguer. Après tout, je pouvais trouver un passage biblique pour justifier ma position : la Bible dit que si quelqu'un divorce pour d'autres raisons que l'infidélité, il devient adultère. Et pourtant, cela me gênait d'apposer cette étiquette sur ce couple. Je l'aimais et je désirais le comprendre, mais toute l'histoire ne me semblait avoir aucun sens.

Sans dévoiler l'identité de mes amis, j'exposai à un homme de Dieu sage et pieux le tumulte de mon cœur. Je m'étais attendue à une longue explication biblique, mais cet homme se contenta de soupirer en disant : « C'est regrettable ! Je suis bien content de ne pas avoir à juger ce cas ».

Aussitôt, je me sentis délivrée du poids de cette situation. Ses mots tout simples m'avaient libérée de mon fardeau. Il avait raison : j'avais laissé Satan inciter mon cœur à juger les autres, et j'avais douté de la fidélité de Dieu à mon égard. Je mesurais mon mariage d'après le leur, limitant ainsi l'action du Seigneur dans notre foyer. Dans ce cas, je ne jugeais pas sous l'effet de la colère, mais sous celui de la crainte.

Il y a quelques années, John et moi avons emmené un groupe de jeunes gens à Trinidad pour se joindre à une église locale afin de témoigner dans les rues et de maison en maison. C'était aussitôt après les scandales de Jimmy Swaggart et de Jim Bakker, et partout où nous allions, on nous posait des questions sur l'intégrité de ces hommes. Au début, cela nous perturbait beaucoup, puis, soudain, je songeai : « Attendez une minute ! Ni Jimmy Swaggart, ni Jim Bakker n'ont le moindre rapport avec ce que nous prêchons ! » Et je pus répliquer hardiment : « Ces hommes ne sont pas morts pour vos péchés, alors que Jésus, lui, l'a fait. Ils n'ont rien à voir avec notre conversation... Cessez de vous trouver des excuses ! »

Souvent, nous jugeons les autres pour soulager notre pression intérieure. Quand je me disputais avec John, j'étais très dure avec lui, mais c'était surtout pour m'empêcher de regarder en face mes propres fautes. Après tout, si je parvenais à prouver qu'il était imparfait, je sentirais moins le poids de mes propres imperfections. Le seul problème, c'est que lorsqu'on juge les autres, on se place soi-même sous le jugement.

Ce que
nous
essayons
d'éviter,
nous nous
l'attirons.

« Et penses-tu, ô homme, qui juges ceux qui commettent de telles choses, et qui les fais, que tu échapperas au jugement de Dieu ? Ou méprises-tu les richesses de sa bonté, de sa patience et de sa longanimité, ne reconnaissant pas que la bonté de Dieu te pousse à la repentance ? »

(Rom. 2.3-4)

Ce que nous accusons les autres de faire, nous le commettons aussi. Ce que nous essayons d'éviter, nous nous l'attirons. Nous jugeons afin de nous préserver des blessures ou des critiques, mais nous sommes tous coupables. Dieu nous prévient qu'en jugeant les autres, en fait, nous méprisons sa bonté et sa longanimité, puis il nous rappelle que c'est justement sa bonté qui nous a poussés à nous repentir.

Bien que nous vivions dans une culture où les juges sont à l'honneur, nous devons prendre garde à l'avertissement de Paul aux chrétiens, et agir différemment.

« Je le dis à votre honte. Ainsi il n'y a parmi vous pas un seul homme sage qui puisse prononcer un jugement entre ses frères. Mais un frère plaide contre un frère, et cela devant des infidèles ! C'est déjà certes un défaut chez vous que d'avoir des procès les uns avec les autres. Pourquoi ne souffrez-vous pas plutôt quelque injustice ? Pourquoi ne vous laissez-vous pas plutôt dépouiller ? »

(1 Cor. 6.5-7)

Remarquez que s'il est parfois nécessaire de prononcer un jugement entre des frères, Paul a encouragé les croyants à choisir de sages arbitres chrétiens, afin que le cas ne soit pas présenté à une cour de justice païenne. Mais pourquoi, dit Paul, devrait-il y avoir des procès entre frères ? Ne vaut-il pas mieux se laisser dépouiller que d'en venir à de telles extrémités dans le but de défendre ses droits ?

Une fois de plus, cela me fait penser à mes affrontements avec mon époux. Il est normal que je parle de ce qui ne va pas, tant que je m'attaque aux problèmes et non à la personne. Au départ, cela demande beaucoup d'entraînement. Nous devons apprendre à nous analyser le plus objectivement possible au lieu de nous contenter de nous défendre, mais comme cela nous est pratiquement impossible, nous avons besoin du secours de Celui qui est pleinement sage et impartial.

Le problème de l'orgueil

> « C'est seulement par orgueil qu'on excite des querelles, mais la sagesse est avec ceux qui écoutent les conseils. »
>
> (Prov. 13.10)

Mon orgueil m'a souvent empêchée d'admettre que j'avais tort, même quand je savais que c'était le cas. Si l'orgueil est le terrain de prédilection des querelles, l'humilité est celui de la réconciliation. Chaque fois que je me suis humiliée, j'ai vu la guérison et le pardon là où cela me paraissait impossible. Il y a de nombreuses façons d'être humilié, mais juger les autres n'en fait pas partie. Lorsque nous jugeons autrui, nous ne nous abaissons pas : nous exaltons notre position, notre discernement ou notre intelligence supérieure.

Le plus grand de tous les témoignages que nous puissions apporter, c'est de marcher dans l'amour et le pardon, et non d'exercer nos droits les uns envers les autres. Cela n'arrive que lorsque nous laissons le Saint-Esprit intervenir en nous et que nous nous repentons de notre tendance à nous ériger en juges.

Dans le prochain chapitre, nous allons examiner un sujet important. Il est tentant de croire que nous sommes jugés, mais je prie pour que toute tendance à juger les autres disparaisse de votre vie.

Si l'orgueil est le terrain de prédilection des querelles, l'humilité est celui de la réconciliation.

> « Mais toi, pourquoi juges-tu ton frère ? ou toi, pourquoi méprises-tu ton frère ? puisque nous comparaîtrons tous devant le tribunal de Dieu. »
>
> (Rom. 14.10)

Cher Père céleste,

Je viens devant toi au nom de Jésus. Je me repens d'avoir cédé à la tentation de juger les autres, car c'est un piège. Pardonne-moi et purifie-moi. Libère tous les domaines de ma vie où cela m'a placé sous ton jugement ou celui des hommes. Je m'humilie et me repens de mon orgueil et de ma folie. Ta miséricorde seule triomphe du jugement, et je te demande humblement ta grâce pour couvrir mes fautes et ouvrir mes yeux aveuglés. Je veux la vérité, et non la suspicion, la crainte de Dieu et non celle des hommes. Fais briller la lumière de ta vérité dans tous les domaines de mes ténèbres.

8

DIEU A-T-IL UNE DENT CONTRE LES FEMMES ?

ette question peut sembler étrange dans un livre qui traite de la colère des femmes, mais je crois qu'il est toujours difficile de nous débarrasser de notre colère si nous avons l'impression d'être la cible de quelqu'un d'autre.

Avant d'être sauvée, je m'étais toujours représentée Dieu dans les nuages, muni d'un tableau qui contenait la liste de toutes mes folies et de tous mes péchés, qu'il pointait au fur et à mesure que je les commettais. Il était furieux et tout à fait prêt à me jeter en enfer. J'avais commis de nombreux péchés, et il était totalement impossible de les effacer.

Imaginez ma stupéfaction lorsque John me dit que Dieu lui avait demandé de sortir avec moi ! La simple pensée que le Seigneur puisse s'intéresser à moi autrement que pour me condamner me stupéfia, c'est le moins qu'on puisse

> *Il est toujours difficile de nous débarrasser de notre colère si nous avons l'impression d'être la cible de quelqu'un d'autre.*

dire. Alors, entendre qu'il m'aimait... Cela dépassait ma compréhension. En réponse à une telle grâce, je m'abandonnai à lui sans que ma féminité me pose le moindre problème.

Puis je me rendis dans des églises, des séminaires et diverses réunions, où j'entendis des affirmations qui me troublèrent et m'amenèrent à remettre en question son amour pour moi. J'avais l'impression de n'être qu'un citoyen de seconde classe dans le royaume de Dieu. Certes, personne ne me le déclara textuellement, mais implicitement, on sentait que les femmes n'étaient pas dignes de confiance, et tout juste rachetées.

Une femme de Dieu ?

Ma première rencontre bouleversante eut lieu pendant que j'étais encore à l'université. Je m'étais rendue en Arizona depuis Houston afin d'assister à un séminaire d'actions de grâces. Cela faisait juste quatre mois que j'étais sauvée, et j'étais très enthousiaste à l'idée de me joindre à des chrétiens fervents et d'entendre de merveilleuses prédications sur la Parole de Dieu. J'avais encore bien des luttes, mais je voulais absolument plaire à mon Père céleste. Aussi ai-je disposé mon cœur et me suis-je munie de papier, d'un crayon et d'une Bible toute neuve sur laquelle j'avais inscrit mon nom. Mais je n'étais pas prête à ce que j'allais entendre. Après un temps d'adoration pendant lequel je pleurai, le pasteur se leva et commença son allocution par la prière, puis il enjoignit l'auditoire de s'asseoir. Il invita sa femme à monter sur l'estrade avec lui. Je me penchai en avant pour mieux la voir. J'avais besoin d'exemples à suivre ; je pourrais peut-être apprendre quelque chose d'elle, même à cette distance.

Je regardai cette jolie femme gracieuse monter sur l'estrade entourée de milliers d'auditeurs. Dès qu'elle fut près de son mari, il se mit à lancer des plaisanteries dédaigneuses contre elle. Elle lui lança quelques piques en retour. L'auditoire riait, mais moi, j'étais mal à l'aise. Les paroles moqueuses du pasteur étaient beaucoup plus blessantes pour sa femme que les réparties de cette dernière, un peu comme si elle savait qu'elle ne devait pas dépasser certaines limites, alors que lui n'en avait aucune. Je compris vite pourquoi.

« Messieurs, savez-vous où nous serions sans les femmes ? » demanda-t-il aimablement à l'auditoire. Je réfléchis intensément pour tenter de trouver la réponse. Je croyais qu'après tous les affronts qu'il nous avait adressés, il allait se rattraper en parlant de notre intelligence ou de notre valeur.

« Nous serions toujours dans le jardin d'Eden ! » Ce fut un éclat de rire général. Je balayai la salle du regard. Tout le monde riait, les hommes comme les femmes. Étais-je la seule à être mal à l'aise et déconcertée ? Étais-je sortie d'un monde de misère pour qu'on se moque de moi dans l'autre ? Je regardai en coin le couple marié assis avec John et moi. L'homme et la femme étaient hilares. J'observai John. Il voyait que j'étais désorientée et perturbée. Je rougis et sentis mes yeux s'embuer. Je me tournai vers John et lui dis : « Je vais aux toilettes ». Je sortis, gênée, comme si la bannière de la rébellion était drapée sur mes épaules.

Dans les toilettes pour dames, je regardai autour de moi, et je me rendis compte que j'étais la seule à être ulcérée par la remarque. Peut-être avais-je tort de la prendre tant à cœur ? Je retournai dans la salle et pris des notes avec sérieux, mais le cœur n'y était pas. Les paroles du prédicateur n'étaient que des mots qui s'alignaient sur mon carnet. Je me méfiais de lui, et je ne laissais pas son message pénétrer dans mon cœur.

Au cours du trajet du retour, dans la voiture, je demandai à l'une de mes amies si le pasteur et sa femme se traitaient toujours de cette manière. Elle me répondit que oui, ajoutant que c'était juste pour plaisanter. John et moi étions jeunes mariés, et je réfléchissais beaucoup à ce que devaient être les couples chrétiens. Je voulais plus que cela.

Le lendemain, au lieu d'accompagner John à la réunion, je m'excusai et proposai mes services à la garderie. Il m'était plus facile de croire que Dieu m'aimait en réconfortant et en berçant contre moi des bébés en larmes. En les tenant contre moi et en apaisant leurs pleurs d'une voix douce, je me disais que c'était ce que le Seigneur faisait avec moi. Je hurlais intérieurement, et il me parlait tendrement. J'étais sa fille, et il était mon Père. Pendant que je berçais un bébé endormi, mes yeux se remplirent à nouveau de larmes. J'avais encore beaucoup à apprendre, mais j'étais sûre de l'amour de mon Sauveur.

Je hurlais intérieurement, et il me parlait tendrement.

Un couple consacré au Seigneur?

Quelques mois après notre mariage, un couple fortuné de l'église nous invita, John et moi, chez lui pour dîner. Au début, je fus surprise, mais ensuite, je me rendis compte qu'il voulait nous inculquer les bases des relations conjugales. Nous nous sommes assis tous les quatre dans le salon avant le dîner. Chaque fois que je posais une question ou que je faisais une remarque, j'étais totalement ignorée. Le mari me coupait pour dire : « Alors, John, que pensez-vous de… » et il détournait la conversation. Au début, je pensais qu'il était dur d'oreille ou que c'était fortuit. Puis je réalisai que c'était intentionnel. John tenta de me faire participer à la conversation, mais notre hôte s'y opposa fermement. Au bout d'un certain temps, sa femme, qui était assise à ses pieds, se leva en silence et se rendit à la cuisine. Perplexe, je la suivis.

« Puis-je vous aider ? proposai-je, parce que je me sentais totalement ignorée.

— C'est inutile, j'ai déjà tout préparé, » répondit-elle doucement mais fermement. Manifestement, j'avais fait ou dit quelque chose qu'elle n'approuvait pas. Plus désorientée que jamais, je me dis qu'il valait encore mieux retourner au salon que rester plantée dans la cuisine à ne rien faire, et je me dirigeai vers la porte de la cuisine luxueuse.

« Restez là ! » ordonna-t-elle.

Je me retournai, légèrement surprise. Où était le problème ? N'avais-je le droit ni d'aider à la cuisine, ni de parler dans le salon ? Je regardai cette femme couverte de bijoux et vêtue d'habits élégants arroser de jus son coq au vin. Elle avait une cinquantaine d'années, et moi, vingt-deux ans seulement. D'un ton irrité, mais contenu, elle se mit à m'expliquer ce qui clochait chez moi.

« Vous n'avez pas à parler aux hommes, sauf s'ils s'adressent à vous en premier. Votre place est à la cuisine avec moi. »

Je fus plutôt choquée. Je n'arrivais pas à en croire mes oreilles ! Comme j'avais certainement l'air ébahi, elle me demanda d'un ton sec : « Vous voulez réussir votre mariage, oui ou non ? »

Cela ne fit qu'ajouter à ma confusion. John et moi n'étions mariés que depuis deux ou trois mois. Je n'étais nullement experte, et nous avions à peine entamé notre vie de couple. Bien sûr que je voulais être une bonne épouse ! « Oui, je veux réussir mon mariage », bégayai-je, sans savoir dans quel guêpier j'allais me fourrer.

Elle remit le coq au four et m'ordonna de m'asseoir. Je résistai à la tentation de lui demander dans combien de temps ce serait prêt et m'assis. Elle se mit alors à me bombarder de conseils que, selon elle, le Seigneur lui avait enseignés. Certains étaient si insensés, si crus et de si mauvais goût que je ne me hasarderai jamais à vous les exposer dans ces pages. En voici juste un échantillon : elle m'enjoignit de m'asseoir toujours plus bas que mon mari. S'il était sur une chaise, ma place était sur le sol. (Je ne savais pas comment j'allais pouvoir m'en tirer à table, toutes les chaises paraissant de la même hauteur.) Je m'aperçus que j'avais déjà violé cette règle en osant m'asseoir près de mon mari sur le canapé lorsque nous étions arrivés. C'était donc pour cela que personne n'avait daigné me répondre ! Cette femme poursuivit ses explications. Si jamais j'avais l'intention de hausser le ton face à mon mari, il fallait que j'aille aux toilettes immédiatement et que je m'agenouille devant la cuvette des W.C., afin de me rappeler quelle était ma position dans la vie et de mettre fin à l'une de mes explosions intempestives avant même qu'elle ne commence. Jusque là, je ne m'étais agenouillée de cette façon que lorsque j'avais eu envie de vomir, et je craignais que ce soit le seul résultat que cela puisse produire.

Quant aux relations sexuelles, elles étaient réduites à un devoir où mon plaisir n'importait pas. Je me hasardai à exprimer mon opinion sur ce point.

« Pourquoi donc Dieu a-t-il donné aux deux sexes la capacité de jouir s'il voulait que seuls les hommes y trouvent de la satisfaction ?

—Vous devez le faire quand votre mari en a envie, que cela vous plaise ou non ! répliqua-t-elle.

— Mais au bout d'un certain temps ; ne risquez-vous pas de lui en vouloir ?

— Alors, retournez aux toilettes ! » trancha-t-elle.

Je me rendais compte que, si je suivais ses prescriptions, je passerais beaucoup de temps aux toilettes. Je décidai de ne plus ouvrir la bouche. Car cette femme ne plaisantait pas !

Par chance, le repas était prêt, et je m'assis à la place qu'on me désigna. Je ne dis plus un mot afin d'éviter d'essuyer d'autres affronts. John, de son côté, paraissait mal à l'aise. Je commençai à redouter ce que l'homme lui avait demandé ou expliqué pendant que j'étais sur le grill à la cuisine. Après le repas, nous avons rapidement pris congé et nous avons vite couru nous réfugier dans notre voiture glaciale sous une pluie mêlée de neige. Nous avions le cœur incroyablement lourd.

« John, c'était vraiment bizarre. Tu as remarqué que je n'avais pas le droit de parler et que cet homme était incroyablement impoli à mon égard ? »

John semblait plongé dans ses pensées. « Oui, c'était un peu inhabituel, mais peut-être voulait-il juste parler d'homme à homme avec moi.

— Eh bien, il n'avait pas besoin d'être grossier pour autant ! objectai-je. Que t'a-t-il demandé quand vous étiez seuls tous les deux ?

— Oh, un tas de choses ! fit John d'un ton évasif.

— A-t-il posé des questions sur moi… Enfin, sur notre vie sexuelle ? poursuivis-je, à la fois effrayée et embarrassée.

— Oui. C'était bizarre, avoua John.

— Je pense qu'ils ne tournent pas rond. Comment osent-ils nous séparer et nous poser des questions sur notre vie intime ?

— C'est un couple riche et éminent de l'église. Cet homme et cette femme essaient juste d'être gentils, c'est tout ! » John les défendait-il vraiment ou était-il aussi perplexe que moi ?

J'allai me coucher, pleine d'appréhensions. Et si toute cette histoire de mariage avait servi de prétexte pour me fourrer dans une situation inextricable ? Les autres femmes chrétiennes appliquaient-elles ces règles ? Peut-être la vie conjugale était-elle une sorte de club, avec ses rituels secrets ? John était légèrement distant. Peut-être s'était-il arrangé pour que cette femme me parle ? Après tout, pour les hommes, ces idées étaient très avantageuses ! Mon cerveau fonctionnait à cent à l'heure, et j'eus de la peine à m'assoupir.

Lorsque je me réveillai, John était déjà parti travailler. Je me hâtai de me préparer afin d'en faire autant — j'avais un poste de comptable à l'église. Mais j'étais si impuissante et désespérée qu'en me rendant à mon travail, j'eus une crise de larmes incontrôlable. Je sanglotai toute la matinée devant mon bureau. Si on me demandait ce qui n'allait pas, je me contentais de hocher la tête. En fin de compte, ma supérieure me convoqua.

« Lisa, tu as pleuré toute la matinée ! Qu'est-ce qui ne va pas ? »

Avant d'avoir pu reprendre contenance, je me surpris à lui raconter ce qui s'était passé dans les moindres détails, mis à part l'identité du couple qui nous avait invités à dîner. Elle écouta, incrédule ; je ne savais pas si elle était indignée face à ma réaction ou à ce que je lui expliquais.

« Reste là et essaie de te ressaisir, » dit-elle en quittant la pièce. Quelques instants plus tard, elle revint avec le femme du pasteur. J'étais terrorisée, mais je fus vite rassurée.

« Qui t'a raconté toutes ces âneries ? » demanda-t-elle.

J'hésitai, car je savais que c'étaient des gens haut placés dans l'église. J'étais une petite nouvelle, alors qu'eux étaient des notables.

« Je veux savoir qui a fait ça ! » insista-t-elle. Je le lui dis, et elle fut furieuse. Elle m'expliqua que c'étaient des chrétiens de fraîche date qui n'étaient absolument pas qualifiés pour enseigner les autres. Ils n'étaient mariés que depuis un an ou deux ; c'était la troisième femme de l'homme, et le deuxième mari de l'épouse. « Ce n'est pas parce qu'ils ont de l'argent qu'ils sont experts dans les choses de Dieu ! » Je suppose que l'histoire des toilettes n'était pas très efficace, parce que deux ans plus tard, ce couple divorça.

Je vous ai donné deux exemples de mépris des femmes au nom du Seigneur (soi-disant). L'un est bénin, l'autre grave. Malheureusement, ce genre de raisonnements est fréquent. Pourquoi les femmes s'esclaffent-elles lorsque les responsables spirituels censés les former, les protéger et les guider tiennent des propos humiliants à leur encontre ? Est-ce parce qu'elles s'y sentent obligées ? Non, j'ai peur que le problème soit plus profond. Elles croient que c'est vrai et qu'elles méritent le traitement qu'on leur inflige.

> Mon opinion ne compte pas : c'est la Parole de Dieu qui fait autorité.

Si j'ai appris une chose, c'est bien que mon opinion ne compte pas : c'est la Parole de Dieu qui fait autorité. Dieu a-t-il une dent contre les femmes ? Le Créateur de l'univers tient-il rancune au « sexe faible » ? Pour le savoir, tournons-nous vers sa Parole.

Un époux plein d'amour

> « Car ton créateur est ton époux :
> L'Éternel des armées est son nom ;
> Et ton rédempteur est le Saint d'Israël :
> Il se nomme Dieu de toute la terre ;
> Car l'Éternel te rappelle
> comme une femme délaissée et au cœur attristé,
> Comme une épouse de la jeunesse
> qui a été répudiée, dit ton Dieu.
> Quelques instants, je t'avais abandonnée,
> Mais avec une grande affection, je t'accueillerai ;
> Dans un instant de colère,
> je t'avais un moment dérobé ma face,
> Mais avec un amour éternel, j'aurai compassion de toi,
> Dit ton rédempteur, l'Éternel.
> Il en sera pour moi comme des eaux de Noé :
> J'avais juré que les eaux de Noé
> ne se répandraient plus sur la terre ;
> Je jure de même de ne plus m'irriter contre toi. »
> *(Ésaïe 54.5-10)*

Notre merveilleux Père compare le rachat qu'il nous offre à l'amour d'un mari pour sa femme. Il aurait pu dire « Ton créateur est ton Père », mais ce n'est pas ce qu'il a fait. Il se place dans la position d'un époux aimant face à une femme rétrograde, puis il compare la sûreté de sa promesse à celle qu'il a faite à Noé : « Quand les montagnes s'éloigneraient, quand les collines chancelleraient, mon amour ne s'éloignera point de toi, et mon alliance de paix ne chancellera point. » Quelle que soit l'intensité des bouleversements de votre vie, l'amour de Dieu pour vous ne chancellera jamais. Gravez cela dans votre esprit une fois pour toutes.

Ce passage biblique ne comporte aucune restriction. La promesse est pour tous ! Elle n'exclut pas les femmes célibataires, divorcées, stériles ou veuves, et de plus, elle s'adresse à celles de tous les âges. Elle est exprimée avec des mots tendres et affectueux que toute femme peut comprendre. C'est la voix de Dieu qui s'adresse à ses bien-aimées, à celles que son cœur chérit. Il parle de paix aux femmes : recevez donc sa paix, et renoncez à votre peur et à votre colère.

> *Recevez sa paix, et renoncez à votre peur et à votre colère.*

Les femmes sont dotées d'un privilège incomparable. Tout en elles est créé pour servir et nourrir. Mais lorsque nous vivons dans la peur constante de déplaire à notre Père céleste, nous nous lassons de bien faire, car nous craignons que nos efforts ne suffisent pas et que nos sacrifices ne soient jamais assez grands. Mais n'oubliez pas que ce qui compte, ce n'est pas ce que vous faites, c'est ce que le Seigneur a accompli pour vous. Aucune de nous ne peut mener une vie assez sublime pour satisfaire à toutes ses exigences. Nous devons être des femmes selon le cœur de Dieu, mais si nous craignons son rejet et sa colère, jamais nous n'y parviendrons. Cela créera une atmosphère de frustration et, inévitablement, de colère. Dieu veut soulager ses filles de ce lourd fardeau. Il l'ôtera de vos épaules et il vous mettra au large.

Le simple fait que Jésus revienne chercher son épouse renforce l'évidence qu'il aime tendrement les femmes. Si nous n'étions pas le complément des hommes, jamais le Seigneur n'aurait choisi l'illustration d'une relation intime entre l'homme et la femme pour illustrer le grand mystère de Christ et de l'Église.

Père céleste,

Je viens à toi dans le précieux nom de Jésus. Je comprends que j'ai permis à un mensonge de s'infiltrer en moi et de ternir notre relation. Je veux croire fermement à ta Parole. Je crois que tu es un Dieu vrai, bon et juste. Je te prie de m'ôter totalement de la tête l'idée que tu m'en veux parce que je suis une femme. Si je le suis, c'est par ta volonté et ton divin plan. Je n'ai pas de quoi t'en vouloir, ni en avoir honte. Au contraire, je me réjouis d'être une créature merveilleuse. Délivre-moi de tout préjugé, de toute culpabilité et de tout stéréotype. Donne-moi ta perspective et montre-moi quel genre de femme tu veux que je sois. Je pardonne à ceux qui m'ont calomniée par idées préconçues ou ignorance ; ils ne savaient pas ce qu'ils faisaient. Seigneur, rétablis et réconcilie les hommes et les femmes, afin qu'ils puissent revivre ensemble dans le jardin fécond de ton amour.

9
NÉE EN COLÈRE

Je pense que je suis née en colère… ou, du moins, passionnée et emportée. Ma mère m'a raconté qu'un jour, quand j'avais un an ou deux, elle avait eu peur que je m'enrhume et m'avait fait rentrer à la maison de force alors que j'étais en train de m'amuser dans la neige. En signe de protestation, je me suis assise, j'ai écarté les jambes et je me suis mise à me taper la tête par terre. Craignant que je m'endommage le cerveau, ma mère se hâta de me porter dans mon petit lit, où je pus poursuivre ma crise de rage en toute sécurité.

À un autre moment, je piquai une colère gigantesque. Maman m'avait mise au lit, mais je m'étais débrouillée pour en sortir. Je poussai de tels cris de rage qu'au bout de vingt minutes, elle téléphona à notre médecin de famille, qui lui recommanda de sortir de la maison et d'aller sous la véranda pendant un moment. Il avait l'impression que je ne cherchais qu'à attirer l'attention et que je cesserais si elle s'en allait. Ma mère suivit ses conseils et me laissa poursuivre mon explosion de fureur dans une maison vide, espérant ainsi me faire revenir à de meilleurs sentiments pour regagner l'attention que j'avais perdue.

Mais cette tentative se solda par un échec, car apparemment, lorsque je m'aperçus que j'étais seule, ma rage redoubla. Je rassemblai toutes les forces de mon petit corps de deux ans pour jeter par terre tout ce qui, dans la maison, était à ma portée. Je renversai toutes les chaises de la salle à manger et des autres pièces, jetai par terre les coussins du canapé, vidai les cendriers et retournai toutes les corbeilles à papier. Je lançai les magazines à la volée et saccageai tout ce qui me tombait sous la main. Ce ne fut pas une manifestation de légère irritation d'une toute petite fille, mais plutôt la tentative de destruction méthodique d'une terroriste en herbe !

Après un certain temps, ma mère rentra à la maison, et elle me trouva à bout de forces, mais toujours furieuse. Inquiète à l'idée que je puisse reprendre de l'énergie pour me remettre à tout saccager, elle m'administra une bonne fessée et me mit au lit !

Pourquoi étais-je si soupe au lait ? Parlons un peu de mon héritage culturel, qui porte peut-être une certaine part de responsabilité. J'ai du sang sicilien, apache, français et anglais dans les veines : comment pourrais-je ne pas être passionnée et ne pas avoir les nerfs à fleur de peau ? Certains de mes ancêtres se livraient à la vendetta, et on était venu voler la terre de certains autres ! Peut-être descendais-je en droite ligne de Géronimo ? Joignez à cela du sang anglais et français, et vous vous apercevrez que je coexiste avec mes envahisseurs !

Ajoutez encore le fait qu'à cause d'un cancer, j'ai perdu un œil à cinq ans. Lorsqu'on m'a annoncé qu'on allait m'enlever un œil pour m'en mettre un tout brillant à la place, je n'étais pas très coopérative. J'ai essayé de me sauver de l'hôpital avant l'intervention. Il a fallu m'administrer un sédatif, puis je me suis débattue avec un tel acharnement que l'anesthésiste a eu peine à m'endormir. Il m'a dit de compter jusqu'à dix, ce que j'ai fait deux fois, puis on m'a posé un masque encore plus serré et j'ai fini par m'endormir. Mais même durant mon sommeil, j'ai supplié qu'on ne m'enlève pas mon œil, si bien qu'une infirmière a dû quitter le bloc opératoire, en larmes. Puis on me transporta dans une salle de réveil aux murs vitrés. Je me réveillai longtemps avant l'heure présumée, m'assis, arrachai le bandeau qui me couvrait l'œil et me mis à hurler. On me mit de nouveau sous sédatifs.

On avait dû employer une telle dose d'anesthésiques pour parvenir à me calmer que je contractai une pneumonie. Je me réveillai, grelottante, sous une tente à oxygène. Je passai près d'un mois à l'hôpital d'enfants de Riley, puis je retournai à l'école maternelle avec un bandeau sur l'œil. Là, je devins la cible des moqueries, même après qu'on ait remplacé mon bandeau par un œil artificiel.

L'arme de la colère

La colère devint mon armure, une force dans ma vie. Des pensées et des images vengeresses me consolèrent de mes malheurs. Je rêvai qu'on me greffe un jour un nouvel œil et que je redevienne normale. Ainsi, personne n'oserait plus se moquer de moi.

J'étais tellement confondue à l'idée de la grâce que j'avais reçue que je pardonnais facilement aux autres.

Cela n'arriva pas comme je l'avais prévu, mais quand je devins chrétienne, je trouvai mon équilibre, non en récupérant l'œil que j'avais perdu, mais en changeant mon ancienne manière de vivre contre celle du Seigneur. Pendant un certain temps, après ma conversion, aucune bribe de ma vieille nature ne refit surface. J'étais tellement confondue à l'idée de la grâce que j'avais reçue que je pardonnais facilement aux autres.

Puis le temps passa. Je me mariai, j'eus une vision et un appel, et je me heurtai à la résistance de mon conjoint. J'ai déjà expliqué à quel point nos quatre premières années de mariage furent houleuses.

J'eus alors mon premier enfant, ce qui m'apporta une autre révélation. Je m'aperçus qu'il était bien plus facile d'aimer mon bébé que l'homme avec lequel j'étais mariée depuis trois ans. Dès que je vis ce petit bout de chou malmené par les forceps, mon cœur fit un bond, et j'éprouvai une immense tendresse protectrice pour notre doux et tendre petit garçon. Comme mon accouchement avait été difficile, je dus ensuite rester alitée pendant quinze jours, et j'en profitai pour dévorer des yeux mon bébé couché à côté de moi. Je lui parlais, persuadée qu'il me comprenait déjà. Je composais des petits chants affectueux à son intention. Un souvenir est particulièrement cher à mon cœur. Je m'étais couchée sur le côté et je l'avais allongé en face de moi pour que nos nez se touchent. Je regardais ses yeux paisibles, et sans m'en rendre compte, je m'endormis paisiblement, le cœur en fête. Je ne sais pas combien de temps cela dura, mais quand je me réveillai, il me regarda avec un tel amour que je fus submergée de joie. C'était comme si un petit ange veillait sur moi. J'embrassai passionnément son joli petit visage.

John était bien loin d'être aussi ébloui que moi. Il se sentait un peu exclu. À moins qu'il y ait autre chose ? Lorsqu'il me lançait des commentaires du genre : « Ce bébé n'a-t-il pas été assez bercé ? », je l'accusais d'être jaloux.

« Comme c'est mesquin ! pensai-je. Il est jaloux de son propre fils ! » Mais ce n'était pas tout à fait vrai. Le problème, c'est qu'il me voyait chanter pour mon bébé, le tenir dans mes bras, l'embrasser et le protéger, et qu'il se disait : « Elle sait donc manifester de la tendresse… Alors, pourquoi est-elle si froide avec moi ? »

Il avait raison. Je ne traitais pas du tout Addison de la même façon que John ! Après tout, pensais-je, il est adulte, lui ! Il peut se débrouiller seul ! Alors qu'il m'incombait d'aimer et de protéger mon enfant tous les jours de ma vie ! Au cours des deux premières années de la vie d'Addison, nous avons connu de nombreux bouleversements. Nous avons déménagé du Texas en Floride, où John a pris un poste de pasteur de jeunes pour une assemblée locale. Et surtout, Dieu a commencé à faire une œuvre inouïe dans notre foyer.

Tous ces changements ont suscité en moi une grande soif de Dieu. Je voulais entendre clairement sa voix et bien connaître ses voies, en partie à cause de la position que j'occupais à ce moment-là. En tant que femme de pasteur, je voulais être exemplaire, mais je dois avouer que mes motivations n'étaient pas tout à fait pures. Dieu avait guéri notre mariage et j'étais assise au premier rang de l'église. Je me disais que si le Seigneur n'avait pas été content de moi, jamais je n'aurais occupé cette position. Mais c'était faux !

Malgré mes motifs intéressés et égocentriques, Dieu combla les désirs de mon cœur, mais d'une façon inattendue. Je criai à lui, lui demandant de purifier mon cœur et de me conduire plus loin dans sa sainte présence. Je pensais qu'il allait me parler par un rêve ou une vision, ou par une intervention glorieuse que j'aurais pu aller raconter partout, montrant ainsi ma piété, mais cela ne se passa pas de cette manière.

Dieu sait quel processus et quel objectif il doit employer pour purifier la vie de chaque chrétien. Dans mon cas, la fournaise fut chauffée à blanc, et je dus y rester pendant plus d'un an. Pour raffiner l'or ou l'argent, on chauffe ces métaux à haute température jusqu'à ce qu'ils se liquéfient. Alors les scories et les impuretés montent à la surface et apparaissent aux yeux de tous ceux qui sont témoins du processus. À ce moment-là, le métallurgiste ôte les corps étrangers avant de laisser le métal se refroidir. Ce processus est répété jusqu'à ce que le précieux métal soit pur de toute scorie qui l'affaiblirait.

Le feu purificateur

> « Je t'ai mis au creuset, mais non pour retirer de l'argent ;
> je t'ai éprouvé dans la fournaise de l'affliction. »
> (Ésaïe 48.10)

Dieu ne raffine pas ses enfants dans une vraie fournaise. Pour les purifier, il emploie une autre sorte de fournaise, celle de l'affliction. Je pense qu'il est important, à ce stade, de définir le mot *affliction*. Il signifie, entre autres, « épreuve, trouble, adversité, détresse et tribulation ». J'aime particulièrement le mot *épreuve*. Il me fait penser, par exemple, à un bateau sur les éléments déchaînés. Vous, le passager, vous rêvez d'arriver à destination, mais vous détestez le moyen d'y parvenir !

De même, une fournaise est un lieu dont on ne s'échappe pas. Lorsqu'on est à l'intérieur, on n'a aucune porte de sortie ! Mieux vaut donc se laisser raffiner le plus vite possible, parce qu'on n'en sortira qu'une fois parvenu au stade de pureté désirée. Je suis intimement persuadée que Dieu se soucie davantage de notre condition que de notre confort, et qu'il permettra que nos vies soient frappées par l'épreuve afin de nous révéler notre véritable condition. Il préfère que nous soyons malheureux pendant un peu de temps qu'en proie aux tourments éternels dans l'au-delà.

À peine avais-je prié Dieu de purifier mon cœur que je me suis retrouvée dans la fournaise de l'affliction. Un petit problème de ma vie a pris une ampleur considérable. C'était une question privée et personnelle. Il ne s'agissait pas d'une chose que j'avais fait en public ou à l'église. Pas du tout ! Je la réservais à mes bien-aimés, à la maison. Ce petit problème, c'était... ma colère.

Dieu se soucie davantage de notre condition que de notre confort.

À l'époque, je ne pensais pas avoir de problèmes dans ce domaine. Après tout, quand tout le monde était parfait, je n'étais pas fâchée. C'étaient juste les imperfections des autres qui me rendaient malade. Et de plus, je n'explosais pas tous les jours ! Environ une fois tous les deux mois, il m'arrivait de casser quelque chose ou d'insulter mon mari. Ce n'était quand même pas la mer à boire ! L'épisode de la baie vitrée brisée suivit presque immédiatement ma prière… Presque comme si c'était une réponse. Mais comment aurais-je donc pu être pire alors que je venais de prier pour être meilleure ? Il devait y avoir une explication !

Mes explosions incontrôlables devinrent de plus en plus fréquentes — au moins une fois par mois. C'est vers cette époque qu'on se mit à parler du « syndrome prémenstruel ». Je tenais ma réponse ! Lorsque j'avais eu mon premier fils, mes hormones s'étaient déréglées. Quel soulagement d'avoir quelque chose à blâmer ! Je fis asseoir mon mari et lui lus l'article que j'avais déniché. Si je parvenais à bien le renseigner, il serait plus sensible aux changements qui se produiraient dans mon corps. J'appuyais ces théories sur le fait que, dans de nombreuses cultures, on isole les femmes au cours de leurs règles. Après tout, même la Bible a recommandé de ne pas s'asseoir sur un canapé à côte d'elles !

Puis mes scènes eurent lieu deux fois par mois, et mes belles théories se retournèrent contre moi. Au beau milieu d'une dispute acharnée où je défendais âprement mes droits, John me lançait toujours : « Tu vas avoir tes règles ? » ce qui réduisait à néant toutes mes théories à ce sujet. J'allais être obligée de trouver autre chose.

Notre groupe de jeunes s'accroissait. Euréka ! Les sorciers d'Orlando jeûnaient et priaient contre nous. Je subissais les retombées d'assauts sataniques dans les lieux célestes. Avec tout ce qui se passait au-dessus de ma tête, il n'était pas étonnant que je sois sur les nerfs.

J'entendis ensuite parler du péché des pères. Ah ! Avec mon héritage culturel, je ne pouvais que rencontrer des problèmes ! Tout bien considéré, j'aurais dû être encore pire ! Et mon éducation, alors ? Mes parents avaient divorcé et mon père avait un penchant certain pour la boisson. Avec tout cela, mes scènes se rapprochaient de plus en plus, comme les contractions d'une femme sur le point d'accoucher, et malgré toutes mes excuses, j'avais peur de ce que je risquais de faire…

C'est vers cette époque que j'eus mon second enfant. J'avais beaucoup prié pour cela, et lorsqu'Austin arriva, j'en oubliai tout le reste. Tout est si facile, avec un bébé ! C'est une sorte de gros poupon vivant : on l'habille, on le promène pour que chacun s'extasie sur son passage et il est bien sage. Toutefois, j'eus un choc en m'apercevant que ce n'était pas si simple. En me retrouvant coincée à la maison avec un nouveau-né et un enfant encore en bas âge, je me sentis complètement découragée. Certes, quand j'avais la voiture, je pouvais aller où je voulais, mais j'avais l'impression d'être incapable de me brosser les dents avant midi, et à la seule idée de partir faire les courses avec deux tout-petits, j'avais les cheveux qui se dressaient sur la tête ! Je n'arrivais plus à entretenir mon intérieur, qui n'avait encore jamais été dans une telle pagaille. Je passais plus de temps à la maison que jamais auparavant, et pourtant, je mettais un temps fou à accomplir la moindre tâche. Mon esprit semblait embrumé à la suite de mon accouchement. Peut-être ma grossesse avait-elle atrophié les cellules de mon cerveau ?

Tous les soirs sans exception, mon mari rentrait dans un capharnaüm indescriptible, et il me posait la question que j'avais appris à redouter par-dessus tout : « Qu'as-tu donc fait toute la journée ? »

Frustrée, je balbutiais quelque excuse boiteuse, et je promettais de ne pas avoir regardé la télé ! J'expliquais que des jeunes m'avaient téléphoné du matin au soir pour me demander conseil et que j'avais tenté vainement de joindre une jeune fille qui menaçait de se suicider. Je devais avoir une drôle d'allure avec un biberon dans une main, une cuiller en bois (pour administrer des fessées) dans l'autre et un nourrisson sur la hanche. « Tu veux bien le tenir pendant un quart d'heure, pour que je prenne une douche ? » plaidais-je désespérément.

Un nouvel obstacle se dressait entre moi et ce qui aurait pu être de bonnes journées. Mon aîné, qui était encore peu de temps auparavant sage comme une image, s'était mis à s'opposer à moi à tout bout de champ. Faire faire la sieste à Addison était devenu un véritable tour de force. Depuis la naissance d'Austin, il avait décidé purement et simplement de modifier son emploi du temps quotidien. Il craignait de manquer quelque chose en allant se coucher pendant une heure ou deux.

Tous les jours, je m'opposais à lui, car je ne partageais pas son opinion sur ce point. La sieste était une partie de la routine quotidienne bonne et nécessaire. C'était le moment où je pouvais prendre une douche, nettoyer la cuisine et faire tout mon possible pour éviter d'entendre, une fois de plus, la redoutable question : « Qu'as-tu donc fait toute la journée ? »

Mais je perdais du terrain. Même s'il était exténué, même si je lui lisais gentiment une histoire, il sautait invariablement en bas de son lit aussi vite qu'il y était entré. Après avoir nourri Austin, je le couchais dans son berceau, dans notre chambre, et j'accompagnais Addison en haut. Tout était prêt, il avait reçu un baiser, entendu une histoire ou un chant, et je tentais de m'échapper. Hélas, la plupart du temps, à peine étais-je en bas des marches qu'en me retournant, je voyais Addison trotter sur mes talons, prêt à m'expliquer pourquoi il n'avait aucune raison de faire la sieste. Au début, je gardais mon calme et le reconduisais dans sa chambre, en l'avertissant de ne pas recommencer. Mais juste à ce moment-là, le téléphone sonnait, et il profitait du fait que j'étais clouée en bas (c'était avant le téléphone sans fil) pour se glisser hors de sa chambre et aller s'amuser avec ses jouets.

Depuis la cuisine, je le voyais, et je me mettais sur la pointe des pieds, claquais des doigts et agitait d'un air menaçant une « cuiller à fessées » dans sa direction. Il me faisait un petit geste amical de la main et il poursuivait ses activités. La plupart du temps, mon interlocuteur téléphonique avait besoin d'aide et n'avait aucune idée du drame qui se jouait dans ma maison. Il s'imaginait certainement qu'il me dérangeait au beau milieu d'une étude biblique ou d'un moment de prière et que j'étais parfaitement sereine, alors qu'en réalité, j'avais l'air d'une marâtre en robe de chambre, et que j'agitais une cuiller en bois au-dessus de ma tête comme pour accomplir une sorte de rituel parental mystérieux.

Quand je raccrochais le téléphone, Addison courait se blottir dans son lit... très provisoirement. Généralement, il finissait toutefois par s'endormir en haut de l'escalier, mais à ce moment-là, c'était mon bébé qui se réveillait et qui réclamait son lait, et je perdais la partie, une fois de plus.

Cette bataille se poursuivit d'avril à juillet. Puis, un jour, j'explosai. C'était comme si je ne voyais plus en mon fils qu'un ennemi — quelqu'un qui s'acharnait à m'empêcher de finir mon travail. Il descendait les escaliers, et sans prendre le temps de réfléchir, je me précipitai vers lui, le pris dans mes bras et remontai en trombe jusqu'à sa chambre, cherchant désespérément un moyen de l'empêcher de ressortir de son lit dès que j'aurais le dos tourné. Sans le reposer par terre, je le portai jusqu'à son lit. C'est à cet instant qu'une pensée me traversa l'esprit.

Hisse-le au niveau de tes yeux, tape-le contre le mur au-dessus de son lit, puis couche-le. Comme ça, il comprendra qu'à l'avenir, il n'a pas intérêt à se lever ! Ce qui est incroyable, c'est que sur le moment, l'idée me sembla bonne. Je commençai à le hisser jusqu'à moi, et à ce moment-là, je vis l'expression de son regard. J'y lus une chose que je n'avais encore jamais vue auparavant. Il n'avait pas peur de ce que j'allais lui faire… mais de moi ! Et lorsque je discernai la terreur dans ses yeux, je me souvins de la mienne quand j'étais petite.

Comme je vous l'ai déjà expliqué, j'étais une enfant terrible qui avait grandi dans des conditions difficiles. Mes parents n'étaient pas chrétiens, et ils m'avaient élevée de leur mieux. Mais aucun d'eux n'avait été instruit dans les voies de Dieu, et je m'ingéniais à les pousser à bout. Au moment où je lus la peur dans les yeux de mon fils, je me souvins de la promesse que je m'étais faite à moi-même étant enfant : « Jamais je ne traiterai mes enfants de cette manière. » J'en retrouvai mon sang-froid.

Je couchai doucement Addison dans son lit et le regardai droit dans les yeux. « Maman est vraiment désolée de t'avoir fait peur, » lui répétai-je plusieurs fois pour tenter d'apaiser la frayeur que je lui avais causée. Puis je fermai la porte derrière moi et courus au rez-de-chaussée. Je me jetai sur la moquette du salon et fondis en larmes, accablée par ce qui venait de se passer.

Je ne sais pas combien de temps je restai ainsi, mais je pleurai jusqu'à n'avoir plus de larmes et me sentir légèrement apaisée. Les yeux embués, je compris pour la première fois que ma rage constituait un vrai problème. Je repensai alors à la question que John me posait souvent après l'une de mes explosions de fureur : « Que faudra-t-il donc pour que tu apprennes à surmonter ta colère ? »

Que faudra-t-il donc pour que tu apprennes à surmonter ta colère ?

J'avais toujours répondu du tac au tac : « Si tu ne me provoquais pas, je ne me mettrais pas dans un tel état ! » Mais John n'était pas là, il ne m'avait rien fait, et j'avais perdu les pédales. Pour la première fois, ma rage exigeait de moi un prix que je n'étais pas prête à payer. J'avais trahi la confiance de mon fils et les promesses de ma jeunesse. Je ne voulais pas rester dans cet état, mais j'ignorais comment je pourrais me sortir du cycle destructeur dans lequel je m'étais engouffrée.

J'étais la seule à blâmer. Ce n'était pas de la faute de mon éducation, de mon mari, de mes origines ethniques ou de mes hormones. Certes, ces éléments avaient contribué à façonner certains domaines de ma vie, mais j'étais la seule responsable de ma façon de réagir face à eux. Dans ma maison silencieuse, je criai : « Seigneur, c'est moi ! J'ai un sérieux problème avec la colère ! »

Je me sentais prise au piège de mes erreurs et de mes excuses. J'avais l'impression de m'enfoncer dans une fosse que j'avais moi-même creusée. Brisée et désespérée, je suppliai : « Seigneur, je ne veux plus de ça ! Je ne me justifierai plus et je ne blâmerai plus les autres. S'il te plaît, pardonne-moi ! »

La réponse ne se fit point attendre. Je sentis le fardeau de la culpabilité et du péché glisser de mes épaules comme une cape invisible, puis j'entendis l'Esprit me dire : « Comme tu ne justifies plus cela... Je vais l'ôter de ta vie. »

Ce qu'on justifie, on l'achète

Nous trouvons la liberté lorsque nous suivons les instructions de Jésus.

En justifiant votre colère, en fait, vous sous-entendez : « J'ai gagné le droit d'être comme je suis à cause de ce que tu m'as fait. » Or, vous ne vous situez pas par rapport à ce qui vous a été infligé... mais par ce qui a été accompli pour vous ! Dans le corps de Christ, beaucoup de gens sont encore englués dans les sévices qu'ils ont subis dans le passé alors qu'une porte de sortie leur a été ouverte. Nous trouvons la liberté lorsque nous suivons les instructions de Jésus : « Puis il dit à tous : Si quelqu'un veut venir après moi, qu'il renonce à lui-même, qu'il se charge chaque jour de sa croix, et qu'il me suive » (Luc 9.23).

Pour prendre votre croix, vous devez d'abord renoncer à vous-même. Or, au lieu de faire ainsi, je m'excusais et me justifiais. Je marchais sur un sentier destructeur pavé des pierres branlantes de ma sagesse personnelle. Lorsque mes yeux se sont ouverts, j'ai compris que je faisais fausse route, et lorsque je me suis repentie et que j'ai renoncé à moi-même, Dieu m'a délivrée.

> **Lorsque je me suis repentie et que j'ai renoncé à moi-même, Dieu m'a délivrée.**

Vivre par l'Esprit

« Je dis donc : Marchez selon l'Esprit, et vous n'accomplirez pas les désirs de la chair. Car la chair a des désirs contraires à ceux de l'Esprit, et l'Esprit en a de contraires à ceux de la chair ; ils sont opposés entre eux, afin que vous ne fassiez point ce que vous voudriez. »

(Gal. 5.16-17)

Il y a un conflit entre la vie de l'Esprit et notre nature pécheresse. La seule façon de le résoudre, c'est de vivre par l'Esprit. Quels étaient mes souhaits ? C'était d'être une épouse et une mère modèle, ainsi qu'une vraie femme de Dieu. Mais comme je ne vivais pas par l'Esprit, je faisais ce que je ne voulais pas faire. Pour vivre par l'Esprit, nous devons renoncer à nous-mêmes, nous charger de notre croix et suivre le Seigneur. Je crois que prendre notre croix, c'est renoncer à n'en faire qu'à notre tête, et reprendre à notre compte les paroles de notre Seigneur : « Non pas ce que je veux, mais ce que tu veux » (Marc 14.36).

La vie dans l'Esprit brise le pouvoir de la loi sur nos vies. « Si vous êtes conduits par l'Esprit, vous n'êtes point sous la loi » (Gal. 5.18). Sous la loi, c'était « Œil pour œil, dent pour dent ». Vous me blessez, je vous rends la pareille. Vous me volez, je vous vole aussi. La loi n'offre guère d'espoir, et pourtant je connais beaucoup de chrétiens qui sont davantage disposés à s'excuser et à se placer sous la loi qu'à vivre par l'Esprit. En justifiant nos fautes présentes par notre passé, nous nions une grande partie de l'œuvre de la croix. Nous rejetons le blâme sur autrui. Mais Dieu nous a faits à son image, et nous sommes libres de choisir la vie ou la mort, la bénédiction ou la malédiction.

> « *Les œuvres de la chair sont évidentes ; ce sont la débauche, l'impureté, le dérèglement, l'idolâtrie, la magie, les rivalités, les querelles, les jalousies, les animosités, les disputes, les divisions, les sectes, l'envie, l'ivrognerie, les excès de table, et les choses semblables. Je vous dis d'avance, comme je l'ai déjà dit, que ceux qui commettent de telles choses n'hériteront point le royaume de Dieu.* »
>
> *(Gal 5.19-20)*

J'étais coincée. C'était écrit en toutes lettres. Dieu classe clairement les animosités (ou explosions de rage) dans les œuvres de la chair, au même titre que la magie ! Mes fausses excuses tombaient à plat. En réalité, je luttais avec ma nature déchue rebelle. Je voudrais souligner la dernière phrase de ce passage : « Je vous dis d'avance que ceux qui commettent de telles choses n'hériteront point le royaume de Dieu ». Une habitude est une chose qu'on fait sans y penser. Il y a une grande différence entre les péchés occasionnels et la pratique du péché. Lorsqu'un étudiant en médecine termine son internat, il cherche un cabinet où il pourra pratiquer sa profession tous les jours. Un synonyme de *pratique* est *habitude*, c'est-à-dire une chose qu'on fait sans y penser.

Je crois que Paul cite ces œuvres de la chair comme des styles de vie habituels. Quelqu'un peut commettre un acte d'adultère isolé, se repentir et être pardonné par Dieu. Mais on peut aussi être adultère en permanence, sans avoir la moindre intention de s'arrêter. Certes, on peut être désolé de se faire prendre la main dans le sac, mais sans éprouver le moindre remords pour l'acte en lui-même. Dans ce cas, l'adultère est une pratique habituelle, une véritable façon de vivre. On peut même alléguer des excuses : « Ma femme ne me comprend pas », etc. Il n'y a pas de repentance, donc pas de pardon possible, puisqu'on n'en ressent pas le besoin.

Une habitude est une chose qu'on fait sans y penser.

Pour moi, la fureur était devenue un véritable mode de vie. Tant que je me répandais en excuses ou que je refusais de me blâmer, je rejetais le pardon en disant que j'étais libre d'agir ou de me comporter de cette façon parce que_____ (Je complétais la phrase avec mon excuse du moment). Mais ce passage des Écritures m'ouvrit les yeux. Dans cette lettre écrite par Paul aux Galates, il leur a répété une chose qu'il leur avait déjà dite — parce que c'était important. Ceux qui pratiquent couramment le péché n'hériteront pas du royaume de Dieu.

À ce stade, nous pouvons nous lancer dans une grande discussion théologique pour déterminer la signification exacte de l'expression « ne pas hériter du royaume de Dieu ». Cela veut-il dire que vous irez au ciel, mais que vous devrez vivre en banlieue, à l'extérieur du royaume ? Ou bien le royaume est-il différent du ciel ? Ou, pire encore, irez-vous rôtir en enfer ? Sans être docteur en théologie, je peux vous dire qu'en tout cas, la situation ne sera pas enviable, puisque nous sommes prévenus contre elle.

Au moment où je me suis repentie, j'ai été délivrée du fardeau spirituel de la culpabilité et du péché, mais non de mon habitude de pécher. Chacun de nous se souvient qu'après être né de nouveau, avoir expérimenté la liberté et la nouveauté de vie, il a connu de nombreuses situations au cours desquelles l'authenticité de son expérience du salut a été testée. Il a eu de multiples occasions de choisir l'obéissance et la vie alors que la désobéissance et la mort paraissaient (sur le moment) plus séduisantes. À cet instant, mes yeux étaient ouverts, et je devais faire des choix constructifs. Il était temps que je renonce à moi-même et que je me charge de ma croix.

Prenez votre croix

Pour moi, la première étape consista à accorder mon pardon à toutes les personnes contre lesquelles j'étais fâchée. La deuxième, la confession, fut un peu plus difficile pour moi.

Sous l'impulsion de l'Esprit, j'avouai à mon mari lorsqu'il rentra à la maison ce soir-là, ce que j'avais failli faire à Addison. Au début, je protestai : « Mais il ne s'est rien passé. Alors, pourquoi John aurait-il besoin d'être au courant ? »

Je crois que c'était indispensable pour trois raisons. Premièrement, le royaume ne fonctionne pas selon des principes purement naturels. Souvenez-vous que Jésus a dit aux pharisiens que quiconque regarde une femme avec convoitise a déjà commis adultère avec elle dans son cœur. Le cœur a une importance prépondérante dans le royaume. Nos cœurs sont un réceptacle de bonne ou de mauvaise semence. Dans mon cas, c'est dans mon cœur que la honte et l'horreur du péché sont apparues en pleine lumière.

Certes, j'avais reçu le pardon lorsque j'avais confessé mon péché au Père dans le nom de Jésus, mais regardez ce que nous prescrit le livre de Jacques : « Confessez donc vos péchés les uns aux autres, et priez les uns pour les autres, afin que vous soyez guéris. La prière agissante du juste a une grande efficacité » (Jacques 5.16).

Nos cœurs sont un réceptacle de bonne ou de mauvaise semence.

En m'humiliant, en confessant mon péché et en priant avec mon mari, je me suis mise dans les meilleures conditions possibles pour être guérie dans ce domaine. J'avais déjà été pardonnée quand je m'étais repentie et que j'avais confessé mon péché à Dieu, mais la guérison s'était propagée dans le moindre recoin de mon être lorsque j'avais dévoilé ouvertement mon péché. La confession avait projeté sa lumière sur mon péché et ma honte, et dans cette atmosphère de lumière, la guérison et le rétablissement étaient possibles.

La troisième raison pour laquelle il était bon que je parle à John était que cela me rendait redevable envers lui. Lorsqu'on révèle la vérité, on prend ses responsabilités en conséquence. Je reconnaissais maintenant la vérité, mais allais-je choisir de vivre selon elle ? John était le mieux placé pour le savoir, même si ce n'était pas l'idéal pour moi. J'aurais sans doute opté plus volontiers pour l'une de mes amies, elle aussi mère de multiples garnements en bas âge, qui m'aurait manifesté une grande compréhension à l'écoute de ce qui s'était passé, et qui m'aurait dit : « Ne t'en fais pas, j'ai eu envie de faire la même chose que toi la semaine dernière... Et puis, tu t'es quand même retenue ! » Mais la Parole nous dit : « Les blessures d'un ami prouvent sa fidélité » (Prov. 27.6).

Lorsqu'on révèle la vérité, on prend ses responsabilités en conséquence.

Je n'avais pas besoin de sympathie, mais de la fidèle correction d'un ami. Il fallait que quelqu'un me blesse en m'assénant la vérité. John joua ce rôle à la perfection, mais il eut la bonté de ne pas me condamner, car il vit à quel point la situation me brisait le cœur. Nous avons prié ensemble, et j'ai senti un lourd fardeau de culpabilité glisser de mes épaules. Mais il restait encore un problème : comment rompre avec ma vieille habitude ?

Le lendemain, je fus mise à l'épreuve. Comme vous l'avez peut-être déjà remarqué, j'ai la tête dure. J'étais placée devant un choix : soit je pouvais tenter de briser le cycle de la rage par mes propres forces, ce qui se solderait vraisemblablement par un échec, soit je pouvais m'humilier et renoncer à moi-même, me charger de ma croix et reconnaître que je dépendais totalement de Dieu. Pour cela, il fallait que je me plonge dans le trésor de sa Parole et que je me batte, comme un boxeur à l'entraînement, pour appliquer les vérités que j'y découvrirais.

« Soyez prompts à écouter... »

Je commençai par planter des textes bibliques qui allaient produire une moisson de justice dans ma vie. L'un de mes préférés se trouve, une fois de plus, dans le livre de Jacques : « Sachez-le, mes frères bien-aimés. Ainsi, que tout homme soit prompt à écouter, lent à parler, lent à se mettre en colère » (1.19). Il a préfacé son exhortation à ses frères chrétiens d'un avertissement à prendre note de ce qu'il allait dire, puis il a affirmé qu'il s'adressait à tout le monde. Cela comprend les dirigeants, les parents, les enfants, les patrons, les employés... et les jeunes mamans, sans aucun doute. Quelle que soit leur position, tous les hommes doivent être prompts à écouter les autres, lents à parler (quoi qu'il leur passe par la tête) et lents à se mettre en colère.

J'avais un comportement radicalement opposé à celui-ci. Je n'écoutais guère, je parlais à tort et à travers et je me mettais en colère pour un rien ! Je n'agissais correctement en rien. Je pense que c'est dû au fait que ces trois caractéristiques sont liées les unes aux autres.

Si vous différez votre réponse en réfrénant votre tendance à exploser pour un rien, vous pourrez écouter attentivement ce que votre interlocuteur veut vous dire. Souvent, cela vous empêchera de vous énerver, l'autre ne se mettra pas sur la défensive, et tout ira beaucoup mieux.

Cette idée m'a amenée à demander au Seigneur de m'aider à réfréner mes paroles. Comme David, je me suis mise à prier : « Éternel, mets une garde à ma bouche, veille sur la porte de mes lèvres ! » (Ps. 141.3).

Un garde veille sur ce qui entre et sur ce qui sort. David a comparé avec éloquence nos lèvres à des portes parce qu'elles peuvent être ouvertes ou fermées. Il a plaidé pour qu'un garde soit posté auprès de sa bouche, afin que les mauvaises paroles ne puissent pas s'échapper et faire des dégâts. Le Saint-Esprit va prendre les versets que vous avez cachés dans votre cœur et vous les remettre en mémoire juste au moment où vous serez sur le point de prononcer des paroles regrettables.

Des études scientifiques ont prouvé qu'il faut vingt et un jours pour rompre une habitude, d'après le temps nécessaire aux amputés pour perdre l'image fantôme d'un membre retranché. Au bout de trois semaines, ils ne tentent plus d'attraper des objets avec leur bras manquant ou de s'appuyer sur leur jambe amputée.

Souvenez-vous que les habitudes ont la vie dure. Ce sont des réactions instinctives, de même que nous faisons des gestes machinaux. Dans ma vie, la rage était devenue habituelle. La simple idée de passer vingt et un jours sans exploser me semblait illusoire. Autant parler de vingt et un ans ! La rage faisait partie de moi.

Comment rompre une habitude ? Comme on l'a développée.

Comment rompre une habitude ? Comme on l'a développée. Un incident après l'autre, minute par minute, heure par heure, jour après jour. En me réveillant le lendemain matin, je me suis immédiatement humiliée : « Seigneur, j'ai besoin de toi aujourd'hui. Place un garde extrêmement énergique et sévère devant ma bouche. Je ne veux pas pécher contre toi. Aujourd'hui, aide-moi à être lente à parler, prompte à écouter, et lente à me mettre en colère. »

Je n'ai pas pensé : « Encore vingt jours de plus à tenir. Oh non, c'est impossible… C'est au-dessus de mes forces ! » J'aurais pu me décourager, mais je me suis accrochée. Je me suis contentée de faire un pas à la fois.

Je ne prétends pas que cela ait été simple, loin de là. Mais ce que je veux vous dire, c'est qu'avec Dieu, tout est possible. Cela fait plus de dix ans que la rage ne me contrôle plus, mais que c'est moi qui la contrôle.

Les deux premières étapes de la route vers la liberté sont la repentance et la confession. Le dernier chapitre de ce livre contient un journal de vingt et un jours accompagné de passages bibliques. Il vous aidera à poursuivre votre route avec ce que Dieu a mis dans votre cœur.

Cher Père céleste,

Pardonne-moi et purifie-moi. Je ne veux pas me contenter de me repentir du fruit de ma colère, mais je désire que l'épée de ta Parole extirpe de ma vie sa racine même. En poursuivant ma lecture, continue à m'ouvrir les yeux afin que je voie clair. Merci pour la conviction de ton Esprit, qui a fait sortir de l'ombre ma tendance à me justifier moi-même. Je compte sur la lumière de ta vérité et sur la liberté de ton pardon.

10
LE POUVOIR DE LA CONFESSION

Q uand je voyage et que je prends la parole devant un auditoire, beaucoup de précieuses femmes m'avouent n'avoir jamais réalisé à quel point elles étaient furieuses jusqu'à ce qu'elles m'aient entendu parler. Souvent, elles pleurent et m'expliquent qu'elles sont impatientes de rentrer chez elles, de s'excuser et de commencer à marcher en nouveauté de vie.

Peut-être ressentez-vous la même chose. Mes paroles ont fait écho dans votre cœur, et vous aspirez à un nouveau départ. Croyez-vous que ce livre vous soit tombé entre les mains par hasard ? Non, je pense que c'est Dieu qui l'a voulu. Lorsque nous rencontrons un autre croyant dont la vie a été touchée dans un domaine qui nous pose problème, notre foi s'en trouve fortifiée, et notre espoir jaillit de nouveau. Nous demandons, le cœur battant : « Seigneur, est-ce toi ? Mon Dieu, est-ce quelque chose que tu peux faire pour moi ? Est-il possible que tu me pardonnes et que tu me laves de mon péché et de ma honte ? Puis-je espérer que tu transformes ma rage actuelle en colère pieuse ? Le Saint-Esprit peut-il venir dans ma vie ? Peux-tu être glorifié par ma nouvelle façon de gérer les conflits ? »

À toutes ces questions et à toutes celles que vous pouvez poser d'un cœur palpitant d'espoir, le Père céleste répond : « Oui ! »

Nous avons un appui

J'ai été dans le même état que vous. Bien que je ne vous aie jamais vu et que j'ignore votre nom, je sais que nous ne sommes pas très différents, car la Bible nous dit :

> *« Aucune tentation ne vous est survenue qui n'ait été humaine, et Dieu, qui est fidèle, ne permettra pas que vous soyez tentés au-delà de vos forces ; mais avec la tentation il préparera aussi le moyen d'en sortir, afin que vous puissiez la supporter. »*
>
> *(1 Cor. 10.13)*

Jamais vous n'affronterez un problème qui vous soit particulier, mais Satan se plaît à nous isoler et à nous accuser. Il nous murmure des mensonges du genre : « Tu es la seule à te débattre avec de tels problèmes. Tu es unique en ton genre… Nulle autre que toi n'a autant de haine en elle ! » Je le sais parce que, comme vous, j'ai entendu ce mensonge.

Dieu ne fait pas acception de personne : cela signifie qu'en ce qui concerne ses promesses et sa Parole, il n'a pas de préférés.

> *« Alors Pierre, ouvrant la bouche, dit : En vérité, je reconnais que Dieu ne fait point de favoritisme, mais qu'en toute nation celui qui le craint et qui pratique la justice lui est agréable. »*
>
> *(Actes 10.34-35)*

Jamais vous n'affronterez un problème qui vous soit particulier.

Notre Père céleste reçoit chaque enfant qui vient devant lui d'un cœur humble et obéissant. Souvenez-vous que ce ne sont pas les orgueilleux et les propre justes que notre Seigneur accepte, mais les êtres brisés et contrits. Il n'écoute pas davantage les indépendants ou ceux qui ont la science infuse. Ceux qu'il agrée, ce sont ceux qui sont à bout de ressources et qui se sont épuisés en vains efforts. À ces êtres fatigués et brisés, il déclare : « Si quelqu'un d'entre vous manque de sagesse, qu'il la demande à Dieu, qui donne à tous simplement et sans reproche, et elle lui sera donnée » (Jacques 1.5).

Reconnaître notre manque de sagesse est, en soi, un acte d'humilité. Nous devons admettre que nous avons essayé tout ce qui était possible par notre propre force et que, néanmoins, nos tentatives se sont toutes soldées par l'échec. Lorsque nous en aurons assez de blâmer les autres pour rester captifs de nous-mêmes, nous pourrons nous présenter librement devant notre Père céleste, qui ne s'arrête pas à nos fautes et à nos manquements, mais cherche à toucher le plus profond de notre cœur.

Marchez dans la lumière

> « *Mais si nous marchons dans la lumière, comme il est lui-même dans la lumière, nous sommes mutuellement en communion, et le sang de Jésus son Fils nous purifie de tout péché.* »
>
> *(1 Jean 1.7)*

Que signifie « marcher dans la lumière, comme il est lui-même dans la lumière » ? Pour répondre à cette question, nous devons examiner le verset précédent, 1 Jean 1.5 : « Dieu est lumière, et il n'y a point en lui de ténèbres ». Non seulement Dieu marche dans la lumière, mais il est lui-même Lumière. Non seulement cette lumière est extérieure à lui, mais elle jaillit de tout son être. Il n'a aucune zone d'ombre en lui. Pour nous, c'est difficile à imaginer et à nous représenter, car tout ce que nous voyons autour de nous est entaché d'une manière ou d'une autre. Tout ce qui nous entoure projette des ombres. L'apôtre Jean ne nous parle pas seulement d'une source lumineuse qui brille autour de nous : elle doit jaillir du tréfonds de notre être.

Il ne s'agit pas d'une lumière naturelle physique, mais de celle de notre esprit (bien qu'aux cieux, comme c'était le cas pour Moïse, elle puisse être visible physiquement).

Dans ce présent siècle mauvais et dans ce monde de ténèbres, nous marchons dans la lumière lorsque nous

> Non seulement Dieu marche dans la lumière, mais il est lui-même Lumière.

gardons notre cœur pur. Nous ôtons les zones d'ombre de notre vie en laissant le sang de Jésus nous purifier. Cela restaure et maintient notre communion avec les autres croyants et avec Dieu. Mais « si nous disons que nous n'avons pas de péché, nous nous séduisons nous-mêmes, et la vérité n'est point en nous » (1 Jean 1.8).

Connaître la vérité ne sert à rien si nous ne la mettons pas en pratique.

Comment affirmons-nous être sans péché ? La plupart d'entre nous le font à leur insu : nous nous justifions, blâmons les autres, nous excusons pour notre comportement ou prétendons être irréprochables. Cela s'entend dans nos conversations : « Je suis désolée. Je sais que je n'aurais pas dû… Mais quand tu as fait ça, tu m'as mise hors de moi ! » Pour la plupart d'entre nous, ce genre de raisonnement n'est que trop familier. Nous avons tous dit cela, d'une manière ou d'une autre, depuis notre enfance, mais cela ne constitue absolument pas une excuse. C'est plutôt une façon de déplacer le reproche. Nous n'avons pas endossé la responsabilité de nos actes, et nous ne nous en repentons pas. Nous nous contentons de dire : « Je suis désolée, mais tu m'as énervée ! C'est de ta faute. Tu m'as rendue folle, et c'est donc à toi d'en supporter les conséquences. Je n'ai pas eu le choix. Tu m'as poussée à bout. » 1 Jean 1.8 nous dit que lorsque nous prétendons être sans péché, nous nous trompons nous-mêmes, et que « la vérité n'est point en nous ». Connaître la vérité ne sert à rien si nous ne la mettons pas en pratique. Les pharisiens connaissaient la lettre, mais non l'esprit. Le Psaume 119.105 déclare : « Ta parole est une lampe à mes pieds et une lumière sur mon sentier ». Les pharisiens possédaient de grandes connaissances, mais ils marchaient dans les ténèbres. Jésus les comparait à des sépulcres blanchis remplis d'ossements desséchés. Extérieurement, ils semblaient impeccables, mais au fond, ils étaient remplis de ténèbres et de corruption. Ils justifiaient leur avidité et le cruel emploi qu'ils faisaient de la Parole de Dieu par leurs positions et leurs performances. Ils se trompaient eux-mêmes. Mais le Seigneur ne considère ni la position, ni les performances. Les titres honorifiques et les louanges des hommes ne l'impressionnent pas. Il veut des

Il veut des mains et des cœurs purs

mains et des cœurs purs, et cela vient par l'humilité, la transparence et l'honnêteté.

> *« Si nous confessons nos péchés, il est fidèle et juste pour nous les pardonner, et pour nous purifier de toute iniquité. »*
>
> *(1 Jean 1.9)*

Jésus purifie ceux qui se confessent. Cela nous parle, une fois de plus, de la marche dans la lumière. La confession met en lumière les problèmes. Confesser, c'est reconnaître, avouer, admettre, concéder ou se décharger. Lorsque nous le faisons, nous mettons en lumière ce qui est caché, nous prenons nos responsabilités et nous acceptons de prendre notre part de la faute. Je dois admettre que parfois, j'ai essayé de venir au Seigneur avec des excuses : « Seigneur, je sais bien que je n'aurais pas dû… mais ils m'en ont fait voir de toutes les couleurs ! » Lorsque je fais cela, je ne demande pas pardon et je ne cherche pas à être purifiée, mais je me retranche derrière des excuses. Lorsque je quitte la présence du Seigneur, je suis toujours souillée et offusquée. Je suis encore coupable et passible de condamnation, et mon sentier est plongé dans les ténèbres.

Mais lorsque nous acceptons de remettre en question non seulement nos actes, mais aussi nos pensées, nous sommes purifiés de toute injustice. Dieu pardonne nos péchés et nous lave. Récemment, j'ai acheté à mon fils Alexander la nouvelle chemise dont il rêvait. Malheureusement, la première fois qu'il l'a mise, il a renversé quelque chose dessus. Il la rapporta à la maison, me la tendit pour que je la voie de plus près, puis il me regarda bien en face, avec ses grands yeux noirs, et il me dit : « Désolé, maman. »

Pas d'excuses, pas de remords, juste ce « Désolé, maman. »

Comment aurais-je pu me fâcher, alors que je savais très bien qu'il était consterné ?

« Ce n'est rien, lui ai-je assuré. Je vais essayer de venir à bout de cette tache. »

Il était arrivé avec une telle candeur, et il était si mignon, que je me mis immédiatement à charger la machine à laver. (Avec quatre garçons, j'ai toujours de quoi charger la machine à laver !) Je m'efforçai consciencieusement de frotter sa tache auparavant, et

comme elle état encore fraîche, je pus la faire dispa-
raître complètement, sans qu'il reste la moindre
trace. Il savait qu'il était déjà pardonné, mais en
outre, la tache fut effacée. Il put se regarder dans
la glace sans en apercevoir la moindre trace.

Je crois que cela illustre ce qui se passe
lorsque nous nous confessons vraiment.
Nous sommes pardonnés et lavés par le
sang de Jésus au point qu'il ne nous reste
aucune trace de nos anciens méfaits. Dieu
est toujours prêt à nous pardonner, mais si
nous ne nous confessons pas en accord avec
la parole de vérité qui est en nous, nous
continuons à être entachés d'injustice. Toutefois, le Seigneur nous a promis que si nous nous
confessons, il est fidèle et juste, d'abord pour nous
pardonner, ensuite pour nous purifier de toute
iniquité. Blâmer les autres pour nous justifier, c'est
être propre justes. Or, la Parole de Dieu nous affirme
qu'il n'y a pas de juste, pas même un seul ! Donc « si nous disons
que nous n'avons pas péché, nous le faisons menteur,
et sa parole n'est point en nous » (1 Jean 1.10).

> *Si nous nous confessons, il est fidèle et juste, d'abord pour nous pardonner, ensuite pour nous purifier de toute iniquité.*

Si nous prétendons être sans péché, nous
contredisons la Parole de Dieu : « Car tous ont
péché et sont privés de la gloire de Dieu »
(Rom. 3.23). Lorsque nous faisons passer
pour des faiblesses ce que la Bible appelle
des péchés, nous faisons Dieu menteur. Si
nous disons qu'il est impossible d'obéir
à sa Parole, qui dit qu'il n'y a aucune
tentation dont nous ne soyons capables
de triompher en Christ, nous le
contredisons et l'accusons implicitement
de mentir.

> *Il faut à tout prix que nous nous dévoilions à lui et que nous lui exposions nos bons et nos mauvais côtés — y compris « l'inavouable ».*

Il faut à tout prix que nous nous dévoi-
lions à lui et que nous lui exposions nos bons et
nos mauvais côtés — y compris « l'inavouable ».
De toute façon, il voit déjà les recoins les plus

sombres de notre cœur. Il nous connaît mieux que nous-mêmes. *La confession ne consiste donc pas à informer Dieu, mais à renoncer à nous-mêmes et à tomber d'accord avec la Parole de vérité du Seigneur.*

Cela risque souvent d'être pénible, comme ce fut la cas pour moi lorsque je pris conscience pour la première fois de l'ampleur de ma rage. Peut-être éprouvez-vous des émotions similaires, et avez-vous peur d'être incapable de changer. Croyez-moi sur parole, vous avez raison ! Sans la Parole de Dieu et l'intervention du Seigneur, la plupart d'entre nous éprouvent d'extrêmes difficultés à changer leurs habitudes. Vous avez déjà essayé de le faire, et vous avez échoué. Alors, il est temps de laisser le Seigneur passer à l'action. Surtout, ne vous polarisez pas sur vos échecs passés, mais regardez à Dieu, qui n'est pas limité par nos échecs.

Brisé et soumis

Les Écritures disent : « Dieu résiste aux orgueilleux, mais il fait grâce aux humbles » (Jacques 4.6). Je ne connais personne qui aimerait s'opposer au Roi du ciel et de la terre. Je ne sais pas ce que vous en pensez, mais moi, je n'ai nulle envie que Dieu me résiste ou qu'il s'oppose à moi. Je souhaite être brisée et soumise au Seigneur. Sans son aide et son assistance, je ne peux pas y arriver. Pour que cela se produise, je dois m'humilier par la repentance, confesser ouvertement au Seigneur non seulement mes actions, mais aussi mes motivations, exposer les ténèbres de mon cœur, puis accepter son pardon et recevoir sa purification.

« Soumettez-vous donc à Dieu ; résistez au diable, et il fuira loin de vous » (Jacques 4.7). Après avoir accepté de nous soumettre au Seigneur, nous pourrons résister à l'adversaire, qui *fuira*. Après avoir soumis notre cœur, notre passé et nos erreurs au Seigneur, il est temps de résister au diable. Comme nous ne justifions plus notre rage et que nous ne blâmons plus les autres, nous ne nous appuyons plus sur notre propre justice, mais sur celle de Dieu. Cela nous place sur un autre terrain que notre justification personnelle ou la notion de ce que les autres nous ont fait. Nous nous plaçons sur celui de la lumière, où la justice est basée sur ce qui a été accompli *pour* nous. Lorsque nous nous humilions, nous nous dépouillons des vêtements souillés de notre propre justice pour nous revêtir de ceux de la justice de Christ, avec toute l'autorité qui en découle.

Par contre, quand le diable vient vous raconter ses mensonges et vous accuser, il faut lui résister. Il ne cessera pas de vous accuser simplement parce que vous vous êtes repenti et que vous avez confessé vos péchés ; Il continuera à vous rappeler vos fautes passées. Souvent, vous serez tenté de vous complaire dans ses accusations. Personnellement, avant d'être pardonnée par Dieu en renonçant véritablement à moi-même et en confessant mon péché, j'essayais de me punir moi-même.

Et ce, sous de nombreuses formes ; je vais vous en énumérer quelques-unes. Je me punissais moi-même en refusant le pardon. Vous vous demanderez peut-être comment je parvenais à faire cela. Eh bien, je ne m'autorisais à confesser ce que j'avais fait que lorsque je me sentais assez coupable. À cause de ce retard, j'étais honteuse et confuse, à la place de la conviction que j'avais d'abord reçue. En fin de compte, lorsque je me confessais, ce n'était pas tant une confession que des excuses... ce qui fait une grande différence.

Confession ou excuses ?

Avez-vous remarqué que, lorsque je vous ai expliqué le sens de la confession auparavant, je n'ai pas parlé d'excuses ? En effet, les excuses sont « une défense, une justification et une explication de ses actes ». L'exemple classique est : « Je suis désolée, mais tu m'as rendue folle », ou « Excuse-moi, mais je n'ai pas pu m'en empêcher », ou encore « Je regrette beaucoup, mais ce n'est pas de ma faute ». Lorsque la condamnation et la honte pèsent trop lourdement sur mes épaules, je me sens mieux lorsque je présente des excuses que lorsque je me confesse. La confession est inconditionnelle, à la différence des excuses.

La confession est inconditionnelle, à la différence des excuses.

Vous serez peut-être surpris d'apprendre que les termes *excuse* et *s'excuser* ne figurent pas dans la Bible. Jadis, je m'excusais auprès de Dieu, mais aussi auprès des autres. La confession ouvre le terrain du pardon, parce qu'elle reconnaît en avoir besoin ; les excuses ne produisent pas cet effet.

Plus nous tardons à nous confesser à Dieu, plus la culpabilité ronge notre âme. Reprenons l'exemple de la tache sur la chemise de mon fils ; Que se serait-il passé s'il avait eu honte et qu'au lieu de me l'apporter sur le champ, il l'avait cachée sous son lit ou jetée dans le panier à linge sale ? La tache aurait eu tout le temps de s'incruster dans les fibres du tissu et aurait été plus difficile à ôter. Et qu'est-ce que sa manière d'agir m'aurait montré ? S'il m'avait dissimulé sa tache, j'aurais cru qu'il avait peur de ma réaction ou qu'il me considérait comme injuste. S'il avait jeté sa chemise dans le panier à linge sans prendre la peine de m'en parler, je l'aurais peut-être mise dans la machine sans voir la tache ni la frotter au préalable, si bien qu'il serait sans doute resté une marque. En me la montrant le plus vite possible, Alexander m'a prouvé qu'il croyait que je n'en ferais pas un drame et que je m'efforcerais de mon mieux de remédier à son problème, et c'est de cette façon que le Seigneur souhaite nous voir nous approcher de lui.

> *« Or, sans la foi, il est impossible de lui être agréable ; car il faut que celui qui s'approche de Dieu croie que Dieu existe, et qu'il est le rémunérateur de ceux qui le cherchent. »*
>
> *(Héb. 11.6)*

J'ai été très contente que mon fils vienne immédiatement me trouver. La foi ne consiste pas seulement à croire en Dieu, mais aussi à être sûr qu'il est bon et juste, et qu'il rémunère ceux qui le cherchent avec zèle. Gardez-vous de limiter le mot zèle à l'ardeur au travail. Il va beaucoup plus loin. Il nous parle de constance, de patience, d'application, d'assiduité et d'empressement. Quelqu'un qui se tourne perpétuellement vers son Dieu peut être qualifié de zélé.

> La foi ne consiste pas seulement à croire en Dieu, mais aussi à être sûr qu'il est bon et juste, et qu'il rémunère ceux qui le cherchent avec zèle.

Autopunition

Une autre façon de me punir consistait à ressasser constamment mes faux pas et à me fustiger moi-même. « Comment ai-je pu être aussi stupide ? » « Mais enfin, Lisa, tu referas donc toujours les mêmes erreurs ? » « Personne n'est aussi mauvais que toi. Aucun autre ne livre les mêmes combats. Tous les autres sont de meilleurs chrétiens ! » En ressassant des idées de ce genre, j'espérais prévenir mes futures infractions en me faisant tellement honte que j'adopterais un meilleur comportement par la suite. Pour cela, je me culpabilisais à mort, jusqu'à en être totalement écrasée. Je m'imaginais que ces voix accusatrices étaient des pensées de Dieu à mon égard. Mais en me présentant devant lui dans la prière, je me suis rendu compte que le chœur des accusations couvrait la douce voix du Seigneur.

Je multipliais mes excuses envers Dieu et mon mari, et pourtant, au fur et à mesure que je le faisais, je reproduisais invariablement les mêmes erreurs. Par contre, lorsque je me suis confessée et que j'ai renoncé pour la première fois à mon comportement, j'ai vu de la lumière au bout de mon sombre tunnel. À ce moment-là, j'ai compris que pour sortir d'une cave ou d'un tunnel obscurs, on ne devait pas scruter les ténèbres, mais avancer vers la lumière. Comment ? En se confessant, et non en s'excusant.

Je me punissais aussi en laissant ma culpabilité envahir mes relations avec mon mari et avec Dieu. Je m'imaginais qu'ils ne m'avaient pas vraiment pardonnée. Après tout, comment cela aurait-il été possible, puisque je ne me pardonnais pas à moi-même ? Cela m'incitait à ériger une barrière mentale derrière laquelle je me retranchais. Mais Dieu ne dit pas : « Punis-toi, fustige-toi, et quand tu auras payé le prix, viens à moi. » Non. Il veut que nous nous mettions en colère sans pécher. Il souhaite que le soleil ne se couche pas sur notre fureur envers les autres ou à l'égard de nous-mêmes.

Dans Actes 3.19, Pierre a lancé cet ordre aux Juifs qui avaient demandé que le Seigneur soit crucifié : « Repentez-vous donc et convertissez-vous, pour que vos péchés soient effacés, afin que des temps de rafraîchissement viennent de la part du Seigneur. »

Dans ce texte, Pierre s'adressait à une grande foule, mais son message peut aussi s'appliquer personnellement à notre vie. Quand nous nous repentons (et non quand nous nous excusons), nos péchés sont effacés et notre relation avec le Seigneur est rafraîchie. Nous sommes lavés et purifiés de toute souillure. Rien n'est plus rafraîchissant que d'être lavé entièrement.

Nous avons évoqué le sujet de notre confession à Dieu ; voyons maintenant celle que nous adressons aux hommes.

Père céleste,

Je viens à toi au nom de Jésus. Merci de m'ouvrir les yeux. Je ne veux plus me contenter de m'excuser… Je veux confesser mes péchés et être purifié de toute souillure. Je te remercie de m'ôter la moindre trace. Et aussi, Seigneur, je te prie de me rafraîchir. Fais souffler le vent de ton Esprit sur les ossements desséchés de ma vie. Lave-moi par l'eau de ta Parole.

11

CESSER AVANT QUE VOTRE FUREUR DEVIENNE INCONTRÔLABLE

Ne serait-il pas agréable d'éviter toute forme de conflit violent ? Cela éliminerait — ou réduirait énormément — le temps que nous passons à confesser les péchés que nous avons commis en parlant à tort et à travers. Si nous découvrons l'origine de nos « crises », nous éviterons sans doute leur montée en flèche.

Conflit intérieur

Jacques demande : « D'où viennent les luttes, et d'où viennent les querelles parmi vous ? N'est-ce pas de vos passions qui combattent dans vos membres ? » (Jacques 4.1) Comment ? Cela se passe-t-il à l'intérieur de nous ? On dirait que des désirs font rage en nous !

Il poursuit : « Vous convoitez, et vous ne possédez pas ; vous êtes meurtriers et envieux, et vous ne pouvez pas obtenir ; vous avez des querelles et des luttes, et vous ne possédez pas, parce que vous ne demandez pas » (4.2). Peut-être ce combat n'est-il pas nouveau, mais perpétue-t-il une bataille précédente ? Cela me rappelle l'histoire de Caïn et Abel, qui nous montre ce qui se produit lorsque nous faisons des autres nos boucs émissaires. Si nous croyons que nos réussites et notre sécurité proviennent des autres, nous sommes effrayés et en colère si nous ne dominons pas la situation. Jacques a dit à ses auditeurs qu'ils se querellaient et se battaient au lieu de lever les yeux vers le ciel pour chercher la sagesse divine.

« Vous demandez, et vous ne recevez pas, parce que vous demandez mal, dans le but de satisfaire vos passions, » affirme Jacques (4.3). Autrefois, ce passage me laissait perplexe. Jacques se contredit-il dans ce verset ? Non ! Il ne dit pas de demander à Dieu au chapitre 1 pour dire qu'il est inutile de le faire au chapitre 4. Alors, que veut-il nous faire comprendre ? Pour vous l'expliquer, permettez-moi de vous citer la paraphrase suivante :

> « *Savez-vous pourquoi vous êtes toujours en lutte ? C'est à cause de ce qu'il y a en vous. Examinez vos motivations ! Chaque fois que vous n'obtenez pas ce que vous voulez, vous piquez une crise et vous vous mettez en rage. Vous convoitez sans cesse les biens et la position des autres. Vous êtes tellement hors de vous que vous seriez prêts à tout pour avoir gain de cause ! Vous n'avez pas ce que vous désirez ? Dieu ne le permettra pas, et vous feriez bien de vous demander pourquoi. Mais au lieu d'agir de cette façon, vous vous mettez en rage et blâmez ceux qui vous entourent. Chaque fois que vous demandez quelque chose avec cet état d'esprit, vous ne recevrez rien, parce que le Seigneur sait que vous ne pensez qu'à votre plaisir égoïste.* »

J'ai dû mettre cela en pratique avec mes enfants. Quand ils étaient petits, il arrivait parfois que mes beaux petits anges nous frappent, nous insultent ou piquent de terribles colères pour obtenir ce qu'ils désiraient (après tout, ce ne sont pas mes enfants pour rien). Quand nous livrions un combat acharné contre un redoutable adversaire de deux ans, nous avions parfois envie de céder à ses caprices, en nous disant qu'après tout, nous ne perdrions jamais qu'une bataille, et non la guerre. Certes, cela procure un soulagement momentané, mais l'affrontement suivant sera, sans aucun doute, plus difficile et plus éprouvant. Récompenser un mauvais comportement finira toujours par se retourner contre vous un jour. En agissant ainsi, vous ne rendez pas service à votre enfant, bien au contraire. Dieu est notre Père céleste, et il est le plus sage de tous les parents. Il sait très bien que souvent, nous désirons des choses qui finiraient par nous nuire si nous les obtenions.

> **Récompenser un mauvais comportement finira toujours par se retourner contre vous un jour.**

Je dois avouer que parfois, j'ai fait des comédies pour assouvir mes désirs. Je geignais et me lamentais : « Seigneur, pourquoi donc ont-ils cela et pas moi ? » manifestant ainsi ma convoitise, ou bien je tapais du pied pour exiger telle ou telle chose. D'autres fois, il s'agissait de conflits : « Seigneur, tu sais bien que j'ai raison et qu'ils ont tort ! Dis-leur ou montre-leur que j'ai raison ! » Ce dernier cas était surtout utile lorsque je n'étais pas d'accord avec mon mari ou avec d'autres chrétiens. Je m'imaginais que le Seigneur allait interrompre leur culte personnel pour leur dire que c'était moi qui avais raison. Évidemment, ces prières égoïstes et intéressées n'étaient jamais exaucées. Par la suite, je me suis rendu compte que lorsque je m'abandonnais moi-même et que je remettais les autres entre les mains de Dieu, sa justice prévalait, et non la mienne. J'avais alors l'occasion unique de voir les choses sous un angle différent et de m'apercevoir que mes motivations, que je croyais si pures, ne l'étaient pas tant que cela en réalité. N'oubliez jamais que vous pouvez à la fois avoir raison d'un certain côté et tort de l'autre.

Nos prières peuvent rester inexaucées pour d'autres raisons ; l'une d'elles est le conflit non résolu.

Conflit non résolu

> *« Si donc tu présentes ton offrande à l'autel, et que là tu te souviennes que ton frère a quelque chose contre toi, laisse-la ton offrande devant l'autel, et va d'abord te réconcilier avec ton frère ; puis, viens présenter ton offrande. »*
> *(Matt. 5.23-24)*

> **Nous nous approchons du Père dans la prière, et nous disposons nos cœurs à offrir un sacrifice de louange.**

Lorsque le temple était encore intact, on venait présenter son offrande à l'autel. C'était un moment de réflexion et d'introspection. L'offrande était un sacrifice expiatoire pour couvrir les iniquités. De même, nous nous approchons du Père dans la prière, et nous disposons nos cœurs à offrir un sacrifice de louange. En faisant cela, nous sondons notre cœur, et si nous y discernons des iniquités, nous les confessons ; si nous nous souvenons que notre frère a quelque chose contre nous, le Seigneur nous dit d'interrompre le processus, de laisser notre offrande, et de commencer par nous réconcilier avec notre frère.

Malheureusement, c'est plus facile à dire qu'à faire. Lorsque nous entrons en conflit avec un autre chrétien, nous savons qu'au moins, nous avons le même système de références et les mêmes critères pour résoudre nos problèmes. Mais quelquefois, ceux qui nous entourent refusent de se réconcilier avec nous. Comment réagir en pareil cas ? Un jour, cela m'est arrivé avec une autre chrétienne. Je l'avais froissée involontairement, et je sentais qu'un fossé s'était creusé entre nous. J'ai sondé mon cœur et je suis allée la trouver. Je lui ai demandé si j'avais dit ou fait quelque chose qui l'avait heurtée ou blessée. J'ai insisté sur le fait que j'aurais pu lui causer du tort à mon insu et je l'ai assurée que je désirais régler le problème. Elle objecta que je n'avais rien fait, et pourtant, je sentis qu'elle me tenait encore à distance. Je lui achetai un cadeau et lui laissai un petit mot, toujours pour lui demander pardon. Je ne reçus aucune réponse. Je revins la trouver. Elle m'assura qu'il n'y avait rien entre nous, mais elle continua à ma battre froid. En désespoir de cause, j'allai trouver l'une de nos amies communes, et je lui demandai si elle savait en quoi j'avais bien pu offenser cette personne. Elle l'ignorait. Je lui racontai toute l'histoire, espérant ainsi y voir plus clair. En fin de compte, après m'avoir écoutée, elle me demanda : « Lisa, lui as-tu demandé de te pardonner ?

— Oui, lui assurai-je.

— As-tu fait un pas vers elle ?

— Oh oui, et même plusieurs !

— Si tu as fait tout cela et qu'elle s'obstine, n'y pense plus. »

Ses paroles me soulagèrent. Je compris que j'avais obéi à Romains 12.18 : « S'il est possible, autant que cela dépend de vous, soyez en paix avec tous les hommes ». Je m'étais sentie coupable et désorientée parce que j'ignorais ce que j'avais fait de mal. Mais en fait, peut-être n'avait-elle plus envie d'être mon amie, ou peut-être avait-elle tourné la page. Parfois, des amies se sont rapprochées ou éloignées de moi suivant l'œuvre que le Seigneur avait opérée dans ma vie ou dans la leur.

> Notre responsabilité consiste à prier pour nous réconcilier et à demander au Seigneur quel rôle nous sommes appelés à jouer dans le processus.

Notre responsabilité consiste à prier pour nous réconcilier et à demander au Seigneur quel rôle nous sommes appelés à jouer dans le processus. Si nous allons trouver avec humilité et amour la personne avec laquelle nous désirons nous réconcilier et qu'elle nous rejette, c'est parfois parce qu'elle n'est pas prête à réagir correctement. Personne n'aime se sentir rejeté. Cela fait très mal, mais si vous obéissez à la Parole de Dieu, vous ne serez jamais perdant.

Mais comment faire si ce n'est pas avec un frère que vous êtes en conflit, mais avec un adversaire ? Dieu nous donne aussi des conseils dans ce domaine :

> « Accorde-toi promptement avec ton adversaire pendant que tu es en chemin avec lui, de peur qu'il ne te livre au juge, que le juge ne te livre à l'officier de justice, et que tu ne sois mis en prison. Je te le dis en vérité, tu ne sortiras pas de là que tu n'aies payé le dernier quadrant. »

(Matt. 5.25-26)

Cet adversaire est si acharné contre vous qu'il va vous traîner en justice. Je m'imagine très bien la scène : une dispute s'engage, apparemment impossible à régler. Chacun campe sur ses positions.

Finalement, l'un des adversaires n'en peut plus et décide d'intenter un procès à l'autre. Il montre le poing à l'autre et crie : « Très bien, on se reverra au tribunal ! » Avant d'avoir eu le temps de dire ouf, l'autre gars est traîné de force vers le tribunal. Il réfléchit à toute vitesse. Veut-il subir les dépenses et les embarras des procédures pénales ? Ne vaudrait-il pas mieux s'épargner tous ces soucis et ces dépenses ? Oh si, c'est *toujours* préférable ! Aussi, en chemin, il négocie un arrangement à l'amiable. C'est ce que Jésus nous incite à faire avant de comparaître devant le juge.

Ce qui est efficace avec un ennemi le sera à fortiori avec un ami ou un conjoint. Mais j'avais la langue si bien pendue que c'était très difficile pour moi. En fait, mes paroles reflétaient l'orgueil de mon cœur. À un certain moment, j'ai connu des périodes très sombres avec une amie. Elle défendait sa cause, et moi la mienne. Nous nous renvoyions la balle comme au cours d'un match de tennis, sans espoir de terminer un jour la partie. Nous avons alors sollicité l'aide d'un conseiller chrétien. Un soir, désespérée, je me suis dit que même cela ne nous aiderait pas. En effet, nous ne faisions que ressasser le passé et nous blesser mutuellement. Alors que je rentrais tristement à la maison avec mon mari, une pensée me frappa : « Au fond, peu importe qui a raison. Je ne vais plus me défendre ni justifier ma position plus longtemps. Je pense que j'ai raison, et j'essaie d'amener les autres à partager mon point de vue, mais cela ne se produira jamais. Ce qui compte, c'est que j'aime mon amie et que, même si j'ai raison, j'ai nui à notre relation. Aussi vais-je faire tout mon possible pour me réconcilier avec elle. »

Ce soir-là, je me mis à espérer pour la première fois depuis des années que Dieu interviendrait dans nos vies. Le lendemain, lorsque nous nous sommes retrouvées face au conseiller, j'ai commencé par dire : « Je voudrais que vous sachiez que je suis désolée pour tout. »

Au début, cela ne fit aucune différence pour mon amie, mais cela en fit immédiatement une pour moi. Je pense que le conseiller dut se demander quelle mouche m'avait piquée à cause du changement radical qui s'était produit en moi depuis la veille. Mon amie ramena alors une vieille histoire sur le tapis.

« Je suis désolée, » fis-je, sans m'excuser ni me justifier. Elle relata un autre incident, et de nouveau, j'eus la même réaction. En peu de temps, notre querelle s'apaisa. Après nous êtres serrées dans les bras, nous nous sommes promis de passer du temps ensemble le lendemain.

Si vous vous soumettez à la Parole de Dieu et que vous marchez en conformité avec elle, le Seigneur sera fidèle. Les problèmes ne s'aplaniront pas immédiatement, mais ils finiront par se résoudre. Et si quelqu'un est furieux contre vous, le Seigneur vous gardera dans la paix.

> **Si vous vous soumettez à la Parole de Dieu et que vous marchez en conformité avec elle, le Seigneur sera fidèle.**

C'est souvent difficile pour nous, surtout si nous avons un caractère emporté. Nous ne voulons surtout pas abdiquer ! Au contraire, nous rêvons d'envoyer notre adversaire au tapis. Lorsque je parvenais à clouer le bec à mes contradicteurs, j'avais toujours l'impression d'avoir remporté une victoire, mais je me trompais. Je pensais que le vainqueur était celui qui assénait le plus de coups à l'autre, mais c'est faux ! Lorsque nous ne savons pas réfréner nos paroles, nous ne sommes jamais gagnants. Savoir nous maîtriser dans ce domaine est essentiel.

Le pouvoir de la langue

> « *Nous bronchons tous de plusieurs manières. Si quelqu'un ne bronche point en paroles, c'est un homme parfait, capable de tenir tout son corps en bride.* »
>
> *(Jacques 3.2)*

Nous savons bien que le fait de pouvoir exprimer verbalement nos pensées n'a pas que des avantages. Pour moi, c'est un défi permanent, car je suis loin d'être une femme parfaite qui tient tout son corps en bride ! Heureusement, par la grâce de Dieu, j'ai déjà beaucoup progressé dans ce domaine. Au lieu d'esquiver ces versets comme je le faisais jadis, j'y attache une extrême importance. Jacques nous explique ensuite à quel point il est essentiel de dompter sa langue :

> « *Si nous mettons le mors dans la bouche des chevaux pour qu'ils nous obéissent, nous dirigeons ainsi leur corps tout entier. Voici, même les navires, qui sont si grands et que*

> *poussent des vents impétueux, sont dirigés par un très*
> *petit gouvernail, au gré du pilote. De même, la langue est*
> *un petit membre, et elle se vante de grandes choses. Voyez*
> *comme un petit feu peut embraser une grande forêt ! »*

(Jacques 3.3-5)

Ici, Jacques nous fournit quelques images frappantes. Tout d'abord, celle d'un cheval, beaucoup plus grand et fort qu'un homme, mais qui peut être dirigé ou arrêté par le mors qu'il a dans la bouche. (Je me suis souvent dit que ce serait également une merveilleuse invention pour les êtres humains). Ensuite, nous imaginons un navire de taille impressionnante sur une mer houleuse, mais dirigé par un tout petit gouvernail manié par un pilote. Et enfin, nous avons la langue, petite par rapport au reste du corps, mais qui dirige le cours de nos vies, de même qu'une minuscule étincelle a la capacité de détruire une grande forêt.

> *« La langue aussi est un feu ; c'est le monde de l'iniquité.*
> *La langue est placée parmi nos membres, souillant tout*
> *le corps, et enflammant le cours de la vie, étant elle-*
> *même enflammée par la géhenne. »*

(Jacques 3.6)

Jacques associe directement la langue à un feu et dit qu'elle est placée parmi nos membres, où elle cause des ravages. Elle a la capacité de souiller toute notre personne et de nous mettre sous la voie de la destruction, ou au contraire de nous tirer du royaume des ténèbres pour nous transporter dans celui de la lumière.

> *« Si tu confesses **de ta bouche** le Seigneur Jésus, et si tu*
> *crois dans ton cœur que Dieu l'a ressuscité des morts, tu*
> *seras sauvé. Car c'est en croyant du cœur qu'on parvient*
> *à la justice, et c'est en confessant **de la bouche** qu'on*
> *parvient au salut. »*

(Rom. 10.9-10)

La langue peut donc être notre pire ennemie ou notre plus précieuse alliée : « La mort et la vie sont au pouvoir de la langue ; quiconque l'aime en mangera les fruits » (Prov. 18.21). Nous sommes appelés à imiter notre Père céleste, qui se sert de ses paroles pour créer et donner la vie : nous devons donc opter pour bénir les autres par nos paroles au lieu de les maudire. Nous sommes destinés à être parfaits comme il est lui-même parfait. Il ne requiert pas la perfection physique, mais il nous demande de veiller sur nos paroles. En tenant notre langue en bride, en effet, nous contrôlons tout notre être, et nous l'amenons à être soumis à sa Parole de vérité.

> **En tenant notre langue en bride, en effet, nous contrôlons tout notre être, et nous l'amenons à être soumis à sa Parole de vérité.**

« Lequel d'entre vous est sage et intelligent ? Qu'il montre ses œuvres par une bonne conduite avec la douceur de la sagesse », observe Jacques (3.13). Il faut faire preuve d'humilité pour rester tranquille quand vous mourez d'envie de vous défendre, ou pour manifester de la bonté à l'égard de ceux qui vous tirent dans le dos. Votre vie est conditionnée par vos paroles. Généralement, ce ne sont pas les affaires publiques, mais plutôt les questions d'ordre privé qui nous posent problème, comme par exemple les secrets. Cela signifie-t-il que nous ne devons plus ouvrir la bouche et qu'il nous faut vivre perpétuellement dans la peur ? Pas du tout ! Mais Jacques nous avertit :

> « Parlez et agissez comme devant être jugés par une loi de liberté, car le jugement est sans miséricorde pour qui n'a pas fait miséricorde. La miséricorde triomphe du jugement. »
>
> *(Jacques 2.12-13)*

> **Ceux qui jugent sans miséricorde seront jugés sans miséricorde.**

De nouveau, nous retrouvons le même principe que précédemment : c'est la mesure dont nous nous servons pour les autres qui sera employée pour nous-mêmes. Ceux qui jugent sans miséricorde seront jugés sans miséricorde. La plupart d'entre nous ne font pas partie du système judiciaire, mais tous les jours, nous sommes implicitement amenés à juger d'une manière ou d'une autre, et cela se reflète dans nos actes comme dans nos paroles.

Jacques nous a prévenus : « Mais si vous avez dans votre cœur un zèle amer et un esprit de dispute, ne vous glorifiez pas et ne mentez pas contre la vérité » (Jacques 3.14).

Lorsque ces choses sont cachées dans nos cœurs, il est difficile de parler et d'agir avec bonté, car elles transparaîtront dans nos actes comme dans nos conversations. Dans notre vie, les offenses non résolues deviennent un filtre au travers duquel nous faisons passer tout notre comportement. S'il s'agit de jalousie, nous éprouvons des difficultés à nous réjouir avec les autres. S'il s'agit d'ambitions égoïstes, nous nous demandons toujours de quelle façon les choses vont nous profiter.

Au cours d'un repas pris chez des pharisiens, Jésus nous a montré de quelle façon nos propos pouvaient nous souiller. Les chefs religieux étaient offusqués parce que les disciples de Jésus ne s'étaient pas lavés les mains en suivant la tradition des anciens. (Chez moi, j'estime cette tradition bonne et indispensable. Qui sait ce que quatre garçons peuvent toucher pendant la journée...) La ville de Jérusalem, carrefour de multiples cultures, remplie d'animaux, grouillant de mouches et aux installations sanitaires des plus sommaires, n'était pas réputée pour son hygiène. Autrefois, comme aujourd'hui, il était donc important de se laver les mains avant les repas. Mais à cette mesure sanitaire, Jésus en a opposée une encore plus importante : « Ce n'est pas ce qui entre dans la bouche qui souille l'homme ; mais ce qui sort de la bouche, c'est ce qui souille l'homme » (Matt. 15.11).

Certes, manger avec des mains sales souillait la nourriture, mais ce n'était pas ce type d'impureté qui finirait par les tuer. Cette réprimande scandalisa les pharisiens, qui étaient passés maîtres dans l'apparence extérieure de la sainteté. Par la suite, en privé, Jésus expliqua à ses disciples : « Ne comprenez-vous pas que tout ce qui entre dans la bouche va dans le ventre, puis est jeté dans les lieux secrets ? Mais ce qui sort de la bouche vient du cœur, et c'est ce qui souille l'homme. » (Matt. 15.17-18)

Le problème du cœur

Nous en revenons toujours au même point. C'est de l'abondance du cœur que la bouche finit par parler ! Parfois, j'ai eu l'impression que le mien était un nid de vipères. Je n'osais plus ouvrir la bouche, tant je craignais qu'un torrent de paroles venimeuses s'en échappe.

> *« Car c'est du cœur que viennent les mauvaises pensées, les meurtres, les adultères, les débauches, les faux témoignages, les calomnies. Voilà les choses qui souillent l'homme ; mais manger sans s'être lavé les mains, cela ne souille point l'homme. »*

(Matt. 15.19-20)

Nous trouvons ici une liste où figurent aussi bien les pensées mauvaises que les meurtres et les adultères. N'est-il pas intéressant de constater que tout cela prend d'abord place dans le cœur ? Jésus a affirmé que si vous haïssez votre frère, vous êtes un meurtrier, et que si quelqu'un regarde une femme avec convoitise, il a déjà commis adultère avec elle dans son cœur.

C'est donc dans le cœur que se nouent ou se dénouent les combats. Arrêter les choses avant qu'elles deviennent incontrôlables se rapporte davantage à nos dispositions intérieures qu'aux circonstances extérieures. Entamer une dispute, c'est comme essayer de traverser un fleuve. Vous ne saurez à quel point le courant est fort et violent que lorsque vous serez en plein milieu, et à ce moment-là, vous courrez le risque d'être entraîné. Très souvent, je me souviens du moment précis où une conversation a tourné au vinaigre, ou inversement. J'ai senti le Saint-Esprit m'avertir : « Reste calme, baisse le ton, réponds gentiment. Ne dis pas ce qui te brûle la langue, mais écoute ma douce voix et prononce les paroles que je te souffle. » Parfois, j'obéis docilement... d'autres fois, j'essaie de lancer encore une remarque mordante avant de me soumettre, et je me rends compte ensuite que ma stupidité me coûte cher. Proverbes 15.1 nous avertit : « Une réponse douce calme la fureur, mais une parole dure excite la colère. »

Si vous voulez être entendu, dites les choses comme vous aimeriez les entendre.

Le secret pour être entendu

C'est simple : si vous voulez être entendu, dites les choses comme vous aimeriez les entendre. Mes enfants, mon mari, mes employés, mon chien... bref, tout le monde m'écoute attentivement lorsque je suis calme et sereine. Je sais que personnellement, je préfère qu'on me parle d'un ton gentil et respectueux. J'entends beaucoup mieux quand on ne m'aboie pas aux oreilles. Ce n'est pas le niveau sonore ou l'insistance qui attire l'attention, le respect et l'engagement des autres, mais c'est la teneur de nos paroles ainsi que la façon dont nous les prononçons. Personne ne prend au sérieux quelqu'un qui lève le poing avec hargne. Certes, il peut parvenir à intimider les autres pendant quelques instants, mais la situation ne tarde pas à se retourner ensuite contre lui. Pourquoi brandit-on le poing en haussant le ton ? Pour plusieurs raisons :

1. Nous avons peur de ne pas être entendus.

2. Crier nous a servi jadis à nous faire respecter.

3. Nous voulons intimider ou dominer les autres.

4. C'est de cette façon que nous avons procédé pendant notre enfance.

5. Une situation non résolue nous irrite toujours.

6. C'est une mauvaise habitude que nous avons prise.

La plupart de ces raisons sont dues à la peur. Or, Dieu ne nous a pas donné un esprit de crainte, mais de puissance, d'amour et d'équilibre psychique. C'est quand nous nous sentons impuissants que nous levons le poing, et c'est par égocentrisme que nous cherchons à intimider et à dominer les autres. Nous ne sommes pas encore parvenus au stade où l'amour parfait bannit la crainte !

Si nous ne faisons pas plier notre volonté aux doctrines de la Parole de Dieu, nous nous enferrons dans nos mauvaises habitudes.

Lorsque nous réagissons de façon excessive, nous reportons sur la situation présente les stigmates de nos problèmes passés. Si nous ne faisons pas plier notre volonté aux doctrines de la Parole de Dieu, nous nous enferrons dans nos mauvaises habitudes. Lorsque nous ne laissons pas le Seigneur prendre le gouvernail de notre vie et que nous essayons de nous en sortir seuls, nous suivons toujours des tactiques inspirées par la peur. J'ai compris depuis longtemps que quoiqu'il advienne, je ne contrôle pas la situation. Je peux tout juste me contrôler moi-même, mais c'est Dieu qui domine tout. Lorsque nous refusons de nous soumettre à sa volonté et à sa Parole, nous montrons notre incrédulité. Cette dernière est à l'origine de toutes nos failles dans nos relations avec le Seigneur.

Nous craignons qu'il ne nous délivre pas ou qu'il n'oriente pas la situation au mieux de nos intérêts ; aussi gémissons-nous, comme les enfants d'Israël au bord de la terre promise : « Que vont devenir nos femmes et nos enfants ? », autrement dit : « Et moi, alors ? Et ma famille ? »

> Je peux tout juste me contrôler moi-même, mais c'est Dieu qui domine tout.

Pour arrêter ce mécanisme avant qu'il prenne trop d'ampleur, nous devons confesser tous les domaines dans lesquels nous sommes incrédules et prendre la victoire sur eux. Il faut que nous soyons fermement convaincus que si nous honorons Dieu en nous soumettant à sa Parole, il honorera à son tour sa Parole en modifiant nos situations. Décidons une fois pour toutes de mener notre vie selon ses statuts. « L'insensé met en dehors toute sa passion, mais le sage la contient » (Prov. 29.11).

Celui qui explose de rage est un insensé. Pour vous mettre en colère sans pécher, vous devez savoir garder votre sang-froid. Pensez aux gardes qui se tiennent devant votre bouche pour la protéger ! Ils sont là pour veiller à ce que certains mots ne franchissent jamais la barrière de vos lèvres. *L'homme sage éprouve les mêmes sentiments que l'insensé, les mêmes mots se pressent dans son esprit, mais il se contient ; il est maître de lui-même, et non « hors de lui ».*

> *« Celui qui parle beaucoup ne manque pas de pécher, mais celui qui retient ses lèvres est un homme prudent. La langue du juste est un argent de choix ; le cœur des méchants est peu de chose. »*
>
> *(Prov. 10.19-20)*

Lorsque nous explosons, nous proférons généralement un torrent de propos négatifs. Répétons-le, une femme sage, lorsqu'elle est irritée, pourrait parler ; elle en a très envie, mais elle choisit de retenir ses paroles. Lorsqu'une personne juste ouvre la bouche, elle pèse soigneusement ses mots ; ils sont positifs, et non inconsidérés et blessants. Remarquez de nouveau le parallèle établi entre la langue et le cœur : paroles irréfléchies = cœur insensé ; paroles filtrées = cœur sage. De plus, nous pouvons entreprendre une étape supplémentaire.

Paroles irréfléchies = cœur insensé ; paroles filtrées = cœur sage.

Choisir d'oublier les offenses

« L'homme qui a de la sagesse est lent à la colère, et il met sa gloire à oublier les offenses » (Prov. 19.11). De nouveau, être lent à la colère fait de nous des gens lents à parler, donc lents à pécher. L'auteur des Proverbes nous affirme que notre « gloire » consiste à oublier les affronts ou les offenses qu'on nous a fait subir. C'est l'honneur, la noblesse, la grandeur et la distinction du chrétien. C'est une façon de montrer que nous agissons à la manière de Christ.

> « C'est à cela que vous avez été appelés, parce que Christ aussi a souffert pour vous, vous laissant un exemple, afin que vous suiviez ses traces, lui qui n'a point commis de péché, et dans la bouche duquel il ne s'est point trouvé de fraude ; lui qui, injurié, ne rendait point d'injures, maltraité, ne faisait point de menaces, mais s'en remettait à celui qui juge justement. »
>
> *(1 Pierre 2.21-23)*

Il ne nous sera possible d'oublier les insultes, les injures et les menaces que si nous nous sommes d'abord consacrés à notre Père, le juste Juge. Souvent, lorsque nos enfants ne sont pas d'accord entre eux, ils viennent nous trouver pour faire appel à notre sens de la justice. « Il n'a pas participé aux corvées » ou « C'est toujours lui qui se sert de l'ordinateur ! » Ils veulent avant tout que nous entendions ce qu'ils ont à dire, et ils espèrent que nous trancherons la question en leur faveur. Mais surtout, ils désirent que la justice triomphe. John et moi, nous faisons de notre mieux, mais souvent, ils jugent que notre sentence n'est pas équitable. Cela les amène alors à prendre eux-mêmes la situation en main, ce qui n'est pas sans danger. Je ne parle pas de résoudre les conflits comme nous les incitons à le faire, mais des règlements de compte sauvages. « Pourquoi as-tu tapé ton frère ? » « Mais c'est lui qui a commencé ! » etc. Vous connaissez ce genre de situation aussi bien que moi. Lorsque nous enjoignons nos fils de venir nous exposer la situation au lieu de se battre comme des chiffonniers, nous entendons souvent rétorquer : « Mais la dernière fois, vous n'avez rien fait ! » Autrement dit : « Je n'ai pas apprécié la façon dont vous avez réagi la dernière fois. C'est pourquoi, maintenant, je ne me risque plus à vous demander conseil, mais je me débrouille tout seul ! »

John et moi, nous admettons volontiers que nous ne sommes pas des parents parfaits, mais ce qui est formidable, c'est que Dieu, lui, l'est ! C'est un Juge impartial qui ne commet jamais d'erreur. Il ne rend pas toujours le verdict auquel nous nous attendons, mais ses voies sont parfaites, alors que les nôtres en sont loin. Lorsque nous oublions une offense, nous ressemblons à des enfants candides qui disent : « Père, je sais que je peux te faire confiance dans ce cas. C'est trop ardu et pénible pour moi. Je refuse de m'irriter ; au contraire, je te remets ce cas et je pardonne à celui qui m'a offensé. » Agir ainsi, c'est faire preuve de noblesse, c'est imiter le Fils de Dieu dès ici-bas. Jésus a dit à ses disciples : « Si [ton frère] a péché contre toi sept fois dans un jour, et que sept fois il revienne à toi, disant : Je me repens, tu lui pardonneras » (Luc 17.4).

Nous avons tous besoin d'oublier les offenses qu'on nous a infligées. Oublier, c'est passer par-dessus, c'est décider de considérer les choses de plus haut, c'est faire preuve de grâce et de miséricorde au lieu d'exercer un jugement.

En guise de conclusion, voici quelques-unes des options qui s'offrent à nous pour apaiser la situation avant qu'elle s'envenime :

1. Examinez votre cœur à la lumière de la Parole de Dieu.

2. Résolvez les conflits constants.

3. Aplanissez vos différends en vous accordant avec votre adversaire.

4. Maîtrisez votre langue.

5. Soyez miséricordieux.

6. Soyez honnête.

7. Répondez gentiment.

Examinez votre cœur à la lumière de la Parole de Dieu.

8. Parlez comme vous aimeriez qu'on vous parle.

9. Choisissez vos mots avec tact.

10. Oubliez les offenses et remettez-les à Dieu.

Dans le prochain chapitre, nous parlerons des conséquences physiques d'une colère malsaine. De nouveau, nous ne saurions trop insister sur l'importance qu'il y a à résoudre un conflit d'une manière saine.

Père céleste,

Je viens à toi maintenant au nom de Jésus. Je comprends qu'il est possible d'éviter certains conflits. Je choisis de marcher à la lumière de ta vérité, comme doit le faire tout enfant du Très-Haut. Crée en moi un cœur pur afin que je puisse entendre ta voix et ne pas pécher contre toi. Chaque fois que ce sera possible, je veux vivre en paix avec tous les hommes. Je serrerai ta Parole dans mon cœur pour ne pas pécher contre toi. Saint-Esprit, aide-moi à choisir mes paroles de façon à honorer Dieu. Aide-moi à oublier les offenses. Je sais très bien que parfois, il s'agira de simples peccadilles, alors que d'autres fois, je devrai me libérer de fardeaux trop pesants pour moi. Père, je choisis de te faire confiance. Pardonne-moi tous les domaines de ma vie où l'incrédulité m'a tenu éloignée de toi. Je renonce à l'emprise de la peur et je choisis de marcher dans la puissance, dans l'amour et dans l'équilibre psychique. Imprime ces vérités dans mon esprit afin qu'elles deviennent une habitude, comme l'était la rage auparavant. Et merci d'être l'auteur et le consommateur de ma foi.

12

LES CONSÉQUENCES PHYSIQUES DE LA RAGE

es muscles sont tendus, ses dents serrées. Ses yeux lancent des éclairs. Elle lève le menton bien haut en signe de dédain et d'arrogance. Elle joue des coudes pour se frayer un chemin parmi la foule. Aussi indifférente à ceux qu'elle croise qu'ils le sont à son égard, elle est prête à bousculer ou à insulter tous ceux qui se mettent en travers de sa route. Dans un certain sens, *elle cherche les affrontements...* car ils lui donneront l'occasion de faire jaillir une partie de la fureur intérieure qui l'anime. Plus elle se contiendra, en effet, plus elle sera hors d'elle, et plus elle fera subir aux autres son humeur massacrante. Elle est en colère dans la foule, au travail, à l'église, dans sa voiture, au supermarché, chez elle. Sa hargne ne s'apaise jamais.

En fait, elle ne le souhaite pas vraiment, car sa fureur lui donne un sentiment de puissance, de force et d'invincibilité. Personne ne sait quand elle explosera de rage. Elle se garde bien de le faire savoir, et elle terrorise ceux qui l'entourent... pour sa plus grande satisfaction. Quand tout va de travers, elle domine la situation. Elle a un secret connu d'elle seule : même si tout marche à la baguette, si tout est parfait, si tout va comme elle veut... elle reste toujours fâchée. Il y a une grande différence entre la colère et l'irritation momentanée et l'état de rage froide permanente, prête à exploser à tout bout de champ. À n'importe quel moment, elle peut lâcher la soupape et se mettre dans tous ses états. Ses employées, ses amies et ses proches ont appris à éviter cela à tout prix, et ils se mettent en quatre pour lui plaire. Les plus malins savent que c'est une mission impossible, et ils se détournent d'elle. Elle ne s'en soucie guère. Cela lui est bien égal, car elle est jeune, forte et toute prête à nouer d'autres relations.

Regardez maintenant cette autre femme. Elle rentre la tête dans les épaules, comme si elle se drapait dans un châle pour passer inaperçue. Ses yeux effrayés reflètent son anxiété. Elle se donne un air impassible, comme le font souvent ceux qui ont essuyé trop de déceptions. Elle penche la tête en avant comme si elle portait toute la misère du monde sur son dos. Elle épie son entourage, car elle est persuadée qu'on la regarde dédaigneusement et qu'on la critique par derrière. Aussi tremble-t-elle devant ses semblables qui, en réalité, la remarquent à peine. Elle ne représente guère une menace pour elles ! Elle se traîne dans son petit univers étriqué et méfiant. Elle se sent exploitée et maltraitée. Tous ses proches la dominent. Tout lui semble injuste, et elle se sent perpétuellement exploitée... cela la rend malade, mais elle réprime ses frustrations. Partout où elle va, elle se sent systématiquement rejetée. Certaines ont essayé de la faire sortir de sa prison sinistre, mais comme elles étaient loin d'être parfaites, elle a repoussé leurs tentatives, et elle a préféré rester cloîtrée dans sa tour d'ivoire.

« J'ai été blessée si souvent que je ne me laisserai plus faire, » murmure-t-elle en rasant les murs de peur qu'on la malmène.

Attitudes de cœur

Bien que cela semble invraisemblable, la guerrière agressive et la faible femme prostrée se trouvent dans des situations similaires. Toutes deux se sentent seules, même si elles sont mariées, parce qu'elles n'ont pas ce qu'il faut pour établir une véritable intimité. Les années passent, elles acquièrent des points communs : des rides amères, une peau flétrie avant l'âge, des mains crochues, le dos courbé sous le poids d'un fardeau invisible. En les croisant dans la rue, vous vous demanderez peut-être : « N'est-ce pas, tout simplement, dû au poids des années ? »

Certes, les années et les épreuves nous marquent tous, mais notre état d'esprit détermine la beauté de notre sourire, l'éclat de notre regard et la douceur de nos traits. Notre attitude de cœur peut nous rendre plus charmantes que d'illusoires produits de maquillage.

La sérénité est plus durable que la beauté.

« Un cœur joyeux rend le visage serein, mais quand le cœur est triste, l'esprit est abattu » (Prov. 15.13). La sérénité est plus durable que la beauté. Cette dernière est fugace, alors que la gentillesse et l'amabilité demeurent. Quel que soit votre âge, vous pouvez avoir un visage serein ! Son éclat adoucira les ravages causés par les années. Les rides laissées par le sourire sont très différentes de celles qu'ont causées des froncements de sourcils incessants. Vous pouvez donc, dans un certain sens, modeler l'expression que vous avez au repos, quand personne ne vous regarde, et qui exprime votre état d'esprit intérieur. Cette expression peut être sereine ou furieuse, comme dans Proverbes 25.23 : « Le vent du nord enfante la pluie, et la langue mystérieuse un visage irrité. »

Les paroles dévastatrices qui jaillissent d'un cœur amer se reflètent sur le visage aussi sûrement que le vent du nord amène la pluie. Souvenez-vous que, selon Jésus, ce n'est pas ce qui entre dans un homme qui le souille, mais ce qui en sort. Lorsque nous permettons à notre bouche d'exprimer des flots de paroles amères, cela ne peut que se refléter sur notre visage.

Si vous tirez follement votre force de votre rage permanente ou que vous vous laissez ronger de l'intérieur par des problèmes non réglés, cela finit inévitablement par vous ravager. Vous commencez par détruire vos relations avec vos semblables, puis vous finissez par vous en prendre à vous-même. Votre colère porte préjudice aux autres autant qu'à vous-même.

La colère ou la rage malsaines vous amènent donc à repousser les êtres dont vous avez le plus désespérément besoin. Pour nous épanouir et pour continuer à croître, nous devons tous avoir des proches qui nous soutiennent, mais la colère chronique sème la suspicion et la peur au lieu de la confiance, la violence au lieu de la sécurité, l'hostilité au lieu de l'intimité.

La nature des femmes

En tant que femmes, nous sommes destinées par nature à nourrir et à chérir. Nous ne sommes pas tout en angles pointus, mais en courbes harmonieuses. Au départ, nous avons une plus grande capacité de tendresse et de compassion que les hommes. Nous ressentons plus intensément l'amour et la souffrance. Nous sommes plus sensibles, et les épreuves, les luttes et les deuils de parfaits inconnus peuvent nous tirer des larmes. Lorsqu'il ne nous est pas permis d'exprimer ces émotions d'une façon valable, nous risquons d'exploser intérieurement ou extérieurement.

Lorsque nous allons à l'encontre du but pour lequel nous avons été créées, nous luttons physiquement contre notre corps. Les femmes sont conçues pour être équilibrées et passionnées, aimantes et compatissantes. Quand elles ne sont pas ainsi, elles ne remplissent pas leur mission (donner la vie, fortifier et soutenir). Les femmes peuvent tenir ce rôle en étant mariées ou célibataires. L'une de mes amies, Mary, est toujours très encourageante et édifiante. Elle dit la vérité dans l'amour, donc de manière à être entendue. Elle est douce et aimable, mais énergique. C'est une véritable servante du Seigneur qui vit pour faire du bien aux autres. Bien qu'elle soit célibataire, elle applique tous les jours les principes d'une femme pieuse. Si nous négligeons de le faire, cela saute aux yeux, que nous soyons mariée ou non.

Voici deux versets qui m'ont souvent été cités quand j'étais jeune mariée : « Mieux vaut habiter à l'angle d'un toit que de partager la demeure d'une femme querelleuse » (Prov. 25.24) ou, autre version encore *plus infamante* : « Mieux vaut habiter dans une terre déserte qu'avec une femme querelleuse et irritable » (Prov. 21.19)

Vivre à l'angle d'un toit laisse l'homme à la merci des éléments, sans abri contre la pluie, la neige, le vent ou le soleil brûlant. Salomon nous déclare qu'il est encore préférable de vivre dans ces conditions qu'à l'abri dans une maison confortable, mais en compagnie d'une épouse acariâtre. Il est donc plus dangereux et malsain de se trouver en dessous du toit qu'au-dessus ! Autrefois, je répliquais à John que le toit des maisons faisait office de terrasse au temps de Salomon, mais il m'était plus difficile de m'en tirer avec le deuxième texte des Écritures. Mieux vaut vivre dans le désert, parmi les serpents et les scorpions qu'avec une femme emportée, maussade et contestataire. Les conflits incessants minent les autres… et nous-mêmes.

La santé du cœur

« Un cœur joyeux est un bon remède, mais un esprit abattu dessèche les os » (Prov. 17.22). La Bible nous explique clairement d'où nous tirons notre santé. On trouve de l'humidité dans la moelle, au centre de nos os. C'est là que le système immunitaire et les cellules sanguines se fortifient. Si nos os se dessèchent, la source même de notre vie est compromise, comme nous le confirme Proverbes 14.29-30 : « Celui qui est lent à la colère a une grande intelligence, mais celui qui est prompt à s'emporter proclame sa folie. Un cœur calme est la vie du corps, mais l'envie est la carie des os. »

La Bible oppose la patience à l'emportement et la paix à l'envie. La patience nous dote de compréhension, alors que l'emportement manifeste de manière évidente la folie d'un être. Un cœur paisible contribue à l'épanouissement du corps, alors que l'envie ou la maladie nuiront à nos os. N'est-il pas stupéfiant de penser que certaines formes de cancers sont traitées par une greffe de moelle osseuse ? La santé de notre moelle osseuse est donc primordiale, et pourtant, elle est bien cachée au cœur de la colonne vertébrale ; de plus, elle est entourée de muscles, d'organes et d'une quantité de vaisseaux sanguins, si bien que pour déceler d'éventuels problèmes à ce niveau, il faut se livrer à une quantité de tests. Les os forment la charpente de notre corps. C'est grâce à eux que nous sommes soutenus ; sans eux, nous nous effondrerions !

> Un cœur paisible contribue à l'épanouissement du corps, alors que l'envie ou la maladie nuiront à nos os.

La Bible confirme l'existence d'une relation étroite entre le cœur et la santé. Je ne veux pas dire que tous les malades ont un problème psychique à la base. Il suffit de penser aux innocents enfants en bas âge qui tombent malades ou qui décèdent pour être persuadé du contraire. Nous vivons dans un monde déchu entaché par la malédiction des handicaps et des maladies. Mais je pense que l'amertume, la rancune, la colère non résolue et d'autres problèmes psychiques affectent directement notre système immunitaire. Dans son ouvrage *Make Anger Your Ally* (Faites-vous une alliée de votre colère), Neil Clark Warren décrète que la rancune est la première cause de maladies punitives et que la frustration est la seconde. Il énumère la liste des maladies provoquées très souvent par la colère irrésolue : migraines, ulcères d'estomac, refroidissements, colites et hypertension.

D'autres études y ont ajouté l'arthrite, diverses maladies respiratoires, des infections cutanées, des douleurs lombaires et même le cancer. Je sais pertinemment que le mode de vie et le régime alimentaire jouent également un grand rôle, mais la Bible a déjà établi depuis des siècles ce que l'homme croit découvrir aujourd'hui. Proverbes 3.5-8 nous expose avec évidence la façon dont nous devons vivre :

> « *Confie-toi en l'Éternel de tout ton cœur et ne t'appuie pas sur ta sagesse ; reconnais-le dans toutes tes voies, et il aplanira tes sentiers. Ne sois point sage à tes propres yeux, crains l'Éternel et détourne-toi du mal : ce sera la santé pour tes muscles, et un rafraîchissement pour tes os.* »

Ici, Dieu nous promet que si nous vivons conformément au plan qu'il a prévu pour nous, il nous procurera la santé pour nos corps et de la nourriture pour nos os. De nouveau, le Seigneur va droit à la racine du problème. Il ne se contente pas de nous procurer la santé pour l'instant présent, mais en nourrissant nos os, il pourvoit à notre bien-être futur.

Les troubles alimentaires résultent souvent de problèmes de colère irrésolus.

Les troubles alimentaires résultent souvent de problèmes de colère irrésolus. Une personne a été gravement offensée et elle désire se replier sur elle-même. Souvent, il faut qu'elle parvienne à se punir en exprimant sa colère d'une façon valable. Cette réaction de rejet est aussi invalidante qu'on peut se l'imaginer. Nous luttons contre un ennemi que nous ne pouvons pas voir avec un moyen qui ne nous mène qu'à une impasse. Je le sais fort bien, puisque j'ai moi-même souscrit à ce mensonge. (Si cette question vous pose problème, mon livre *You Are Not What You Weigh* peut vous être très utile.)

Si vous êtes très jeune, vous n'avez peut-être pas eu l'occasion d'observer les effets physiques de la colère incontrôlée, mais si vous êtes plus âgé, vous savez sans doute de quoi je parle. Comme cela sape à la base notre système immunitaire, nous devons prendre cet avertissement très au sérieux. Voici un passage des Écritures qui en parle de façon imagée : « Comme une ville forcée et sans murailles, ainsi est l'homme qui n'est pas maître de lui-même » (Prov. 25.28) ou, dans la version du Semeur : « Celui qui ne sait pas se dominer est comme une ville démantelée qui n'a plus de remparts » et enfin, dans la Bible en français courant : « Une ville sans défense devant une attaque : tel est l'homme qui ne contient pas sa colère. »

Murailles infranchissables

Au temps de la Bible, des murs étaient érigés autour de la cité pour la protéger. C'était un obstacle qui tenait à distance les bêtes sauvages et les ennemis. Pour nous, le concept n'est pas familier, mais les villes anciennes étaient toutes bordées de murailles infranchissables. Elles se dressaient pour avertir ceux de l'extérieur : « Interdiction d'entrer sans montrer patte blanche ! » et pour servir de barrière protectrice à ceux qui vivaient à l'intérieur. Chaque soir, on fermait les portes de la ville, et chaque matin, on les rouvrait. Les habitants des cités fortifiées avaient appris à compter sur les murailles et sur les gardiens pour les préserver des envahisseurs et des vandales. Ces murs préservaient aussi les habitants des ravages causés par les épidémies qui sévissaient à l'extérieur, et ils servaient de barrière contre le vent, la pluie et les tempêtes du désert.

À la lumière de tout cela, imaginez une ville sans murailles, ou dont on a renversé les murs protecteurs. Les ennemis et les envahisseurs vont et viennent à leur gré. Pendant la journée, la cité est à la merci des voleurs, des bandits et des armées ennemies. On ne peut cacher les objets de valeur. Dans l'ombre, les chacals et les autres animaux sauvages rôdent dans les ruines, ce qui rend le lieu extrêmement dangereux. Les maladies et les infirmités pullulent. Qui voudrait vivre là où il n'y a ni protection, ni abri ?

Lorsque nous ne tenons pas notre esprit en bride, nous habitons justement dans un lieu de ce genre. Notre cœur n'est plus un havre de paix et de sécurité, mais il devient une ville forcée et sans murailles. Nous n'échappons à un envahisseur que pour tomber dans les filets d'un autre. Nous nous préoccupons de notre protection, mais nous ne parvenons pas à l'assurer.. On nous a dépouillés de tous nos biens de valeur et nous avons été réduits à des rôles de subalternes. L'ennemi va et vient à son gré, portant atteinte à tous les paramètres intérieurs et extérieurs de notre vie. La frustration est notre lot quotidien, et le chagrin et le regret nous hantent constamment. Après avoir défendu pendant des années une ville indéfendable, beaucoup d'entre nous finiront par se retrancher dans les ruines pour se cacher au milieu des décombres.

Que se passera-t-il si vous avez déjà compris que la vie et la mort sont au pouvoir de la langue, mais que vous ne jouissez pas du fruit que vous mangez ? Au lieu de sortir d'Égypte en bénissant le Seigneur, vous êtes tristes et ulcérés. Au lieu d'entrer dans la terre promise, vous vous êtes retrouvé dans un amas de ruines, où vous avez attiré votre famille et vos relations ! Toutes les forteresses sur lesquelles vous pensiez pouvoir vous appuyer se sont écroulées, et même le temple de votre corps physique a souffert à la suite des ravages provoqués par des années de colère incontrôlée et de remarques haineuses. Quel espoir vous reste-t-il ? Comment rebâtir la cité en ruines ? Après la repentance vient le rétablissement. Vous vous êtes repenti ; il est temps de commencer à guérir.

Remplacez votre langue trompeuse par des mots qui guérissent.

Guérison

« La langue douce est un arbre de vie, mais la langue perverse brise l'âme », affirme Proverbes 15.4. Remplacez votre langue trompeuse par des mots qui guérissent. Commencez à prononcer des paroles de vie en toute situation. Sondez la Parole de Dieu et appliquez-la à votre mariage, à votre travail, à vos enfants et à vos amis. Mettez-vous à bénir chacun de ces domaines de votre vie, et non à les maudire. Laissez la Parole de Dieu transformer votre âme, et vous en retirerez des bénéfices physiques.

L'apôtre Jean a écrit à son ami Gaïus : « Bien-aimé, je souhaite que tu prospères à tous égards et sois en bonne santé, comme prospère l'état de ton âme » (3 Jean 2).

Votre santé est affectée par le bien-être de votre âme ; Il est absolument impossible de séparer les deux. Elles sont étroitement liées. Bien que les mots ne blessent pas physiquement, la Bible les compare à une arme mortelle.

> *« Tel qui parle légèrement, blesse comme un glaive ; mais la langue des sages apporte la guérison. »*
> *(Prov. 12.18)*

J'imagine sans peine ce genre d'assaut verbal. Les paroles furieuses infligent des blessures acérées comme des coups de poignard : un coup dans l'épaule, un autre dans l'estomac et un troisième dans l'avant-bras. La victime, d'abord hébétée, glisse ensuite sur le sol avec une expression horrifiée. Elle baisse les yeux vers son corps et s'aperçoit qu'il est couvert de sang. Elle se sent étourdie et ferme les yeux pendant quelques instants. Il lui semble être entourée d'un épais voile noir.

À ce moment-là, elle entend une autre voix, douce et gentille. Elle sent un halo d'or percer les ténèbres. Les paroles de guérison apaisent les terribles propos blessants qu'on lui a lancés auparavant. Une chaleur douillette calme sa douleur glaciale. Chaque mot agréable la revivifie. Il lui semble sortir d'un cauchemar. Elle est pleinement rétablie et ses blessures sont complètement cicatrisées.

> *« Les paroles agréables sont un rayon de miel, douces pour l'âme et salutaires pour le corps. Telle voie paraît droite à un homme, mais son issue, c'est la voie de la mort. »*
> *(Prov. 16.24-25)*

Il nous semble souvent bon d'exprimer nos doléances afin de permettre à nos émotions de s'extérioriser et de faire savoir aux autres ce que nous ressentons. Nous pensons que notre flot de paroles nous libère et informe les autres, mais en fait, nous nous blessons nous-mêmes et nous heurtons ceux qui nous entourent. À notre insu, nos pas se sont détournés du chemin de la vie pour s'engager sur celui de la mort.

Il est impossible de nier qu'il existe un lien entre la colère malsaine et nos problèmes de santé. Il faut à tout prix que vous laissiez le Seigneur vous libérer des ornières ou des impasses dans lesquelles vos explosions de rage ou vos insultes passées vous ont précipité, que vous les ayez vous-mêmes proférées ou qu'un autre vous les ait lancées comme de redoutables missiles. Nous devons également inclure la force insidieuse des paroles destructrices dont nous nous fustigeons nous-mêmes. Par exemple : « Personne ne s'intéresse réellement à moi. À la fin, je me retrouverai seule, abandonnée de tous. » « Je suis grosse et laide. Qui pourrait bien être attiré par moi ? »

Ces paroles nous meurtrissent et renforcent les réactions et les images négatives dans nos vies. Elles érigent autour de nous une forteresse de souffrance qui entrave nos pensées et nos actes. Prions :

> *Cher Père céleste,*
>
> *Je viens à toi au nom de Jésus. Je réalise que mes paroles ont parfois été inconsidérées et qu'elles ont blessé les autres comme moi-même. Seigneur, que ma langue devienne un instrument de guérison. Que mes paroles soient douces comme un rayon de miel et qu'elles restaurent les âmes. Guéris mes os, et donne-moi la santé et la force dans tout mon corps. Que toute infection fasse place à la vie. Emploie-moi pour guérir la vie des autres. Permets que je bénisse ceux qui ont été maudits et ceux qui m'ont moi-même maudite. Je veux garder ma bouche afin que tu puisses reconstruire des murailles protectrices autour de ma vie. Je désire me nourrir de ta bonté, car « j'ai recueilli tes paroles, et je les ai dévorées ; tes paroles ont fait la joie et l'allégresse de mon cœur ; car ton nom est invoqué sur moi, Éternel, Dieu des armées ! » (Jér. 15.16)*

Il est impossible de nier qu'il existe un lien entre la colère malsaine et nos problèmes de santé.

13
TOURNEZ LA PAGE

À ce stade, vous avez pardonné aux autres, confessé vos péchés et reconnu la vérité. Passons à l'étape suivante : vous devez tourner la page. Je sais que c'est probablement plus difficile que tout le reste, mais c'est essentiel pour votre santé psychique, physique et spirituelle. Souvent, j'ai eu l'impression que je devais me punir pour ma mauvaise conduite avant de laisser le Seigneur me laver. Je voulais être si oppressée par le fardeau de ma culpabilité que je ne recommencerais plus jamais. Mais la culpabilité ne nous transforme pas ! J'aspirais à tomber sous le coup du jugement, mais à la place, j'ai trouvé le pardon du Seigneur.

À la grâce de Dieu

> « Ou méprises-tu les richesses de sa bonté, de sa patience et de sa longani-mité, ne reconnaissant pas que la bonté de Dieu te pousse à la repentance ? »
>
> *(Rom. 2.4)*

C'est la bonté et la douceur du Seigneur qui nous poussent à la repentance. Cela va à l'encontre de notre

> C'est la bonté et la douceur du Seigneur qui nous poussent à la repentance.

façon de penser. Lorsque nous chutons, nous voulons être punis. Nous souhaitons expier nos forfaits afin d'être libérés de notre sentiment de culpabilité. Mais Dieu étend sa grâce sur nous afin de nous préserver du jugement que nous méritons. Nous comprenons mal ce concept. Naturellement, nous appliquons plutôt la loi du talion « œil pour œil, dent pour dent ». Nous nous agrippons à notre honte, persuadés que Jésus nous jugera sévèrement et nous rejettera. La loi et l'accusateur des frères exigent un jugement, alors que l'Esprit nous fait grâce. Je voudrais que vous lisiez le récit d'une femme manifestement coupable, ainsi que la réponse que Jésus lui a faite :

> *« Alors les scribes et les pharisiens amenèrent une femme surprise en flagrant délit d'adultère ; et la plaçant au milieu du peuple, ils dirent à Jésus : Maître, cette femme a été surprise en flagrant délit d'adultère. Moïse, dans la loi, nous a ordonné de lapider de telles femmes : toi donc, que dis-tu ? Ils disaient cela pour l'éprouver, afin de pouvoir l'accuser. »*
>
> *(Jean 8.3-6)*

Vous remarquerez qu'en fait, ils ne se préoccupaient pas de trouver la vérité, mais ils cherchaient à piéger Jésus. Je crois que c'est toujours l'objectif de notre nature charnelle ainsi que celui de l'accusateur des frères. Il aspire moins à vous abattre qu'à s'en prendre à la validité de l'œuvre de Christ. Ces chefs religieux ne se préoccupaient guère du salut de cette femme. Je suis persuadée que les voix accusatrices que vous entendez ne s'intéressent pas tellement à vous, à votre famille ou à votre qualité de vie. Ce qu'elles veulent, c'est porter atteinte à l'œuvre de Christ dans votre vie et vous placer sous le jugement de la loi. Remarquez qu'au début, Jésus n'a pas daigné répondre à ces chefs religieux. Il a détourné les yeux de leurs visages qui condamnaient et qui étaient pleins de haine.

> *« Jésus, s'étant baissé, écrivait avec le doigt sur la terre. Comme ils continuaient à l'interroger, il se releva et leur dit : Que celui de vous qui est sans péché jette le premier la pierre contre elle. Et s'étant de nouveau baissé, il écrivait sur la terre. »*
>
> *(Jean 8.6-8)*

Nous ne savons pas vraiment ce qu'il a marqué dans la poussière. J'ai entendu certains prédicateurs émettre l'hypothèse qu'il avait inscrit les noms des femmes avec lesquelles ces chefs religieux et ces pharisiens avaient péché, et d'autres supposer qu'il notait les autres commandements pour leur rappeler leurs propres transgressions. En tout cas, aucune raison ne nous est donnée, mais en revanche, la réponse de Jésus a été sublime : « Que celui de vous qui est sans péché jette le premier la pierre contre elle ». Ces hommes étaient certainement imbus de leur propre justice lorsqu'ils traînèrent la femme pécheresse dans les rues afin de l'exposer au jugement de Jésus, mais voilà que toute l'atmosphère venait de changer. Leurs voix furieuses étaient réduites au silence, et leur cœur commençait à les condamner. Ils craignaient que le jeune Maître se mette à dévoiler publiquement leurs propres transgressions. Ils n'osaient plus le regarder en face ! Finalement, l'un après l'autre, ils partirent.

> « *Quand ils entendirent cela, accusés par leur conscience, ils se retirèrent un à un, depuis les plus âgés jusqu'aux derniers ; et Jésus resta seul avec la femme qui était là, au milieu.* »
>
> (Jean 8.9)

Vous remarquerez que ce sont les plus âgés qui se retirent en premier. Je sais que je suis beaucoup moins tranchante que lorsque j'étais plus jeune. Souvent, les plus âgés ont appris par expérience à ne juger ni trop durement ni trop rapidement. Ils ont commis davantage d'erreurs et sont moins inexorables qu'autrefois. Ils ont vu de leurs yeux les ravages que la haine et les relations brisées pouvaient causer. En fin de compte, la femme se retrouva seule devant Jésus. Ses accusateurs étaient partis, et pourtant, elle était restée.

Souvent, les plus âgés ont appris par expérience à ne juger ni trop durement ni trop rapidement.

> « *Alors s'étant relevé, et ne voyant plus que la femme, Jésus lui dit : Femme, où sont ceux qui t'accusaient ? Personne ne t'a-t-il condamnée ? Elle répondit : Non,*

> Seigneur. Et Jésus lui dit : Je ne te condamne pas non plus ; va, et ne pèche plus. »
>
> *(Jean 8.10-11)*

« ... va, et ne pèche plus. »

Lorsque toutes les voix accusatrices et condamnatoires furent réduites au silence, elle resta auprès du Seigneur pour entendre ce qu'il avait à lui dire. Il lui demanda où étaient ceux qui l'accusaient. Elle répliqua que personne ne l'avait condamnée. Comme elle avait été graciée par les hommes, Jésus la fit bénéficier du pardon divin. « Va, et ne pèche plus » est toujours précédé de miséricorde et de pardon. Sans cela, il nous serait impossible de renoncer à notre rage et à notre fureur chroniques. Jésus dit ensuite à la foule :

> « Je suis la lumière du monde ; celui qui me suit ne marchera pas dans les ténèbres, mais il aura la lumière de la vie. »
>
> *(Jean 8.12)*

La lumière de notre monde

Jésus s'est appelé lui-même la lumière du monde. N'était-ce pas une affirmation audacieuse ? Il a ensuite invité le peuple à le suivre et à quitter ses chemins de ténèbres pour marcher dans la lumière de la vie. Mais quelques pharisiens étaient là, et ils objectèrent : « Tu rends témoignage de toi-même ; ton témoignage n'est pas vrai » (Jean 8.13). Ils s'étaient approchés de lui pour qu'il serve de juge, puis ils lui affirmèrent que son témoignage n'était pas vrai. Leurs protestations montrèrent qu'ils ne venaient pas avec de nobles intentions, mais dans le but de le confondre.

> « Jésus leur répondit : Quoique je rende témoignage de moi-même, mon témoignage est vrai, car je sais d'où je suis venu et où je vais ; mais vous, vous ne savez d'où je viens et où je vais. »
>
> *(Jean 8.14)*

Jésus était le seul être vivant qui ait réellement su d'où il venait et où il allait. Il connaissait son objectif et sa destinée. Il savait de qui il était le Fils. Les pharisiens qui s'en prenaient à lui se targuaient d'être des fils d'Abraham et des descendants de Moïse, mais en réalité, c'était leur père, le diable, qui les animait. Ils ne connaissaient pas les critères célestes, mais seulement ceux des hommes.

> « *Vous jugez selon la chair ; moi, je ne juge personne. Et si je juge, mon jugement est vrai, car je ne suis pas seul ; mais le Père qui m'a envoyé est avec moi.* »
>
> *(Jean 8.15-16)*

Il leur livre un secret : il ne s'agissait pas de son jugement, mais de celui de son Père. Dans ce cas, il n'a ni accusé, ni jugé la femme pécheresse, mais en lui pardonnant, il l'a affranchie du jugement. La grâce l'a délivrée de la condamnation. Sous la loi de Moïse, elle aurait été mise à mort, mais Jésus savait qu'il allait bientôt donner sa vie en sacrifice pour ses péchés.

Aujourd'hui encore, il ne nous condamne pas. Il nous regarde et il proclame : « Va et ne pèche plus. » Je suis sûre que la femme adultère a été émerveillée par la révélation de son pardon après avoir tellement souffert de son péché et de sa honte. Les pharisiens et les docteurs de la loi pensaient l'avoir amenée à l'endroit où elle serait condamnée, mais ils s'étaient rendu compte qu'ils ne l'avaient pas traînée devant un juge, mais devant la Vérité incarnée : « Vous connaîtrez la vérité, et la vérité vous affranchira » (Jean 8.32).

Juste après avoir rencontré une loi implacable, cette femme s'était retrouvée face à la vérité. Ce que la loi ne pouvait accomplir, la vérité l'a fait. Par la Parole du Christ, elle fut libérée en un instant d'une existence de péché et de honte.

> « *En vérité, en vérité, je vous le dis, leur répliqua Jésus, quiconque se livre au péché est esclave du péché. Or, l'esclave ne demeure pas toujours dans la maison ; le fils y demeure toujours. Si donc le Fils vous affranchit, vous serez réellement libres.* »
>
> *(Jean 8.34-36)*

D'une esclave, il a fait une fille à laquelle il a donné une place permanente dans la famille. Désormais, elle ne trouverait plus son identité dans les bras de ses partenaires, mais dans les tendres bras de son Sauveur. Jésus s'était révélé à elle comme celui qui pardonne les péchés et qui affranchit des ténèbres.

Pardonnez-vous

Peut-être n'êtes-vous pas coupable d'adultère ou d'un péché « flagrant », mais je suis certaine que vous avez entendu le chœur des accusateurs. Vous vous êtes retrouvé désespéré, devant un tribunal implacable de juges qui vous montraient du doigt vos péchés. Puis le Fils vous a affranchi... si bien que, maintenant, vous êtes réellement libre. *Réellement* signifie « vraiment, avec certitude ». Vous vous êtes confessé, et maintenant, vous devez quitter ce lieu d'opprobre, de honte et d'accusation et ne plus pécher. Il faut que vous quittiez le tribunal accusateur des hommes afin de marcher à la lumière de Dieu. Très souvent, vous ne lutterez pas contre d'autres personnes, mais contre vous-même. Ce sera votre propre voix qui vous accusera. Mais si le Seigneur dit qu'il ne vous condamne pas et qu'il vous laisse partir libre, vous devez vous laisser pénétrer de cette vérité.

Nous ne devons jamais nous sentir justes par nos propres efforts. Notre justice personnelle n'est que du vent face à la sainteté de Dieu. Nous ne sommes pas justifiés par le Seigneur en raison de nos œuvres ou de notre conduite, mais en Christ seul.

> *« Justice de Dieu par la foi en Jésus-Christ pour tous ceux qui croient. Il n'y a point de distinction. Car tous ont péché et sont privés de la gloire de Dieu ; et ils sont gratuitement justifiés par sa grâce, par le moyen de la rédemption qui est en Jésus-Christ »*
>
> *(Rom 3.22-24)*

Aucun péché n'est trop grand pour être purifié par le sang de Christ et devenir plus blanc que neige.

Aucun péché n'est trop grand pour être purifié par le sang de Christ et devenir plus blanc que neige. Il pardonne nos péchés et nous débarrasse de toute trace de culpabilité. Nous n'avons donc nul besoin de ressasser nos fautes passées. Il sera toujours préférable de détourner nos yeux de nos erreurs d'autrefois pour lever les yeux vers le Seigneur : « Ne pensez plus aux événements passés, et ne considérez plus ce qui est ancien » (Ésaïe 43.18).

C'est la beauté et le mystère de la nouvelle naissance. Aujourd'hui, nous pouvons repartir à zéro ! Nous sommes libres d'adopter une nouvelle façon de vivre, purifiés par la compassion divine qui se renouvelle chaque matin. Trop souvent, nous avons peur d'être rejetés parce que notre problème est trop vaste ou notre péché trop abject. Et pourtant, à l'instant même, il nous cherche et nous incite à renoncer à tous nos raisonnements pour nous contenter, tout simplement, de croire.

> *« Ne crains pas, car tu ne seras point confondue ; ne rougis pas, car tu ne seras pas déshonorée ; mais tu oublieras la honte de ta jeunesse, et tu ne te souviendras plus de l'opprobre de ton veuvage. »*
>
> *(Ésaïe 54.4)*

Jésus ne veut pas que nous craignions l'humiliation et la honte, mais il désire que nous l'honorions comme saint, juste et vrai. Notre colère, même contre nous-mêmes, n'accomplira jamais la justice de Dieu dans notre vie. Alors, pourquoi vous obstineriez-vous à vous priver du pardon qui est mis à votre disposition ? Quel bénéfice en retirerez-vous ? Rien que l'accablement et la destruction. Tournez donc humblement la page pour vous soumettre à la grâce merveilleuse du Seigneur. Grâce aux promesses qu'ils nous a adressées, nous pouvons être certains qu'il nous réservera un accueil favorable : « Car tu es bon, Seigneur, tu pardonnes, tu es plein d'amour pour tous ceux qui t'invoquent » (Ps. 86.5). Oui, il est temps de l'invoquer !

Père céleste,

Je viens à toi au nom de Jésus. Pardonne-moi de me cantonner dans le tribunal humain de la honte et de m'accuser selon ses critères. Seigneur, j'accepte ta grâce. Je veux la laisser triompher dans tous les domaines de ma vie où je me juge moi-même. Je laisse ce lieu de culpabilité et d'accablement et je décide de ne plus pécher. Jamais je ne pourrai me punir suffisamment pour gagner ce que tu m'as accordé gratuitement en sacrifiant ta vie. Lave-moi dans ton sang. Je me pardonne moi-même toutes les fautes que j'ai commises. Je confesse ma tendance à être propre juste ; je m'en détourne pour accepter ta justice. Je tourne maintenant une nouvelle page de ma vie. Père, merci pour ta bonté et ta douceur, qui m'ont réellement conduit à la repentance.

14

MISE EN PRATIQUE : COMMENT RESTER PASSIONNÉ SANS PERDRE VOTRE CALME

achez-le, mes frères bien-aimés. Ainsi, que tout homme soit prompt à écouter, lent à parler, lent à se mettre en colère ; car la colère de l'homme n'accomplit pas la justice de Dieu » (Jacques 1.19). Quelle affirmation percutante ! La colère de l'homme n'accomplit pas la justice de Dieu : et pourtant, c'est de cette façon que nous nous excusons nous-mêmes ! Il y a eu injustice sous une forme ou sous une autre, et nous exigeons réparation. Mais la colère ne résoudra jamais rien, aussi juste que soit la cause ! Dieu ne se sert jamais de *notre* rage pour accomplir ses desseins. En fait, nous essayons ainsi d'arriver à nos fins. Nous pensons à tort qu'elle nous protègera, qu'elle nous fortifiera, qu'elle nous guidera et qu'elle nous sera utile, mais au contraire, elle nous assaille, nous dépouille, nous induit en erreur et nous isole.

Marchez dans la vérité

Maintenant que nous connaissons la vérité, il est temps d'y marcher afin d'être libérés. Je prie pour que ce dernier chapitre vous apprenne à étudier méthodiquement la Bible et vous aide à l'appliquer à votre vie de façon pratique. J'ai résumé ce qui, je l'espère, vous sera utile en six étapes :

1. Décidez de ne pas réagir de façon excessive sous l'effet de la colère. Optez plutôt pour une colère constructive. Ce doit être un choix délibéré et une décision consciente. Vous devez être résolu à changer, à vous détourner de vos anciennes habitudes, à réagir autrement et à laisser la Parole de Dieu vous transformer, un peu comme lorsque vous avez décidé de suivre Jésus. La première étape est la repentance ou le changement de comportement. Les enfants d'Israël ont jadis été confrontés à ce genre de choix : « J'en prends aujourd'hui à témoin contre vous le ciel et la terre : j'ai mis devant toi la vie et la mort, la bénédiction et la malédiction. Choisis la vie, afin que tu vives, toi et ta postérité. » (Deut. 30.19)

Au début, ce sera une décision délibérée et presque mécanique que vous prendrez en réaction à toutes les situations qui vous irriteront ou vous énerveront. Par exemple, nous venons de déménager d'Orlando au Colorado. Cela faisait près de vingt ans que je n'avais pas conduit dans la neige. J'ai grandi dans l'Indiana et, autrefois, j'ai conduit sur des routes verglacées, mais j'ai oublié la technique à adopter faute d'en avoir eu besoin. Le premier hiver où je suis sortie dans de mauvaises conditions, il m'est arrivé de perdre le contrôle de la voiture et de déraper. Instinctivement, j'ai pensé : « Tourne le volant dans la direction où tu glisses. » Ce que j'ai appris il y a des années m'est revenu en mémoire sans que j'y réfléchisse, et j'ai pu reprendre le contrôle de mon véhicule.

2. Analysez la situation avant de réagir. Proverbes 29.20 nous avertit : « Si tu vois un homme irréfléchi dans ses paroles, il y a plus à espérer d'un insensé que de lui. » En étudiant les Écritures, j'ai constaté que Dieu ne laisse guère d'espoir aux insensés. Pour être efficace, vous devez analyser la situation. Pourquoi vous irrite-t-elle à ce point ? Est-ce parce que vous ne savez pas vous maîtriser, que vous avez peur ou que cela réveille en vous un souvenir douloureux ? Vous sentez-vous menacé ? Souvent, la raison de votre énervement est très claire, et la réponse n'est pas difficile à trouver, mais vous avez besoin de vous ressaisir avant de réagir. Si, par exemple, l'un de mes enfants me parle d'un ton insolent, cela ne me plaira pas, c'est évident. Mais je dois peser soigneusement ma façon de réagir. Être furieuse et le rabrouer vertement ne lui montrera pas l'exemple d'une bonne réaction chrétienne. Au contraire, je ne ferai qu'appliquer la loi du talion ! Il vaut mieux que je lui réponde d'une façon qui lui fera prendre conscience que son comportement n'est pas acceptable, qu'il doit en comprendre la raison et agir en conséquence. Cela vient souvent d'une mauvaise habitude, mais si cela me fait bondir, mieux vaut que je me calme et que je prenne le temps de réfléchir.

> *Prendre ses responsabilités, c'est faire preuve d'humilité.*

3. Prenez vos responsabilités. Souvenez-vous que les responsabilités sont bonnes. Vous ne devez pas les éviter, mais les assumer. Elles vous donnent la capacité, la puissance ou le pouvoir de réagir. Lorsque vous blâmez les autres pour vos réactions, vous vous réduisez à l'état de victime de leurs caprices ou de leurs actes. Assumez la responsabilité de vos actes, bons ou mauvais. 1 Pierre 5.6 nous prescrit : « Humiliez-vous sous la puissante main de Dieu, afin qu'il vous élève au temps convenable ». Prendre ses responsabilités, c'est faire preuve d'humilité.

La responsabilité va de pair avec la confession. Comme nous l'avons dit précédemment, la confession est l'aveu de nos faux pas : nous reconnaissons humblement qu'ils sont de notre faute et nous résistons à la tentation de faire porter le blâme aux autres. Être humbles, c'est accepter d'endosser nos responsabilités sans nous inquiéter des réactions des autres. C'est dire : « Seigneur, je te fais confiance. Je crois que si je m'humilie, tu m'élèveras dans cette situation, et que tu me mettras au large. »

4. Tirez instruction de vos erreurs. C'est la suite logique du fait d'assumer ses responsabilités. Chaque fois que vous le faites, vous êtes en mesure de tirer profit de vos fautes, comme vous y encourage Proverbes 24.16 : « Car sept fois le juste tombe, et il se relève, mais les méchants sont précipités dans le malheur. » Les méchants ne souhaitent pas se relever, mais ils restent vautrés dans leur déchéance. Leurs erreurs ne leur servent pas à aller plus loin, mais elles les terrassent. Elles triomphent d'eux. Par contre, les justes s'humilient et ressortent grandis de chaque chute.

5. Pardonnez-vous à vous-même ainsi qu'aux autres. Pardonnez à ceux qui vous ont blessé. Dans Luc 17.4, Jésus nous dit : « S'il a péché contre toi sept fois dans un jour, et que sept fois il revienne à toi, disant : Je me repens, tu lui pardonneras ». Nous devons accorder notre pardon à ceux qui se repentent, même s'ils recommencent sept fois en une journée. Nous ne sommes pas en mesure de les juger parce qu'ils ont recommencé à nous froisser. N'avons-nous pas fait de même à maintes reprises ? Nous sommes pardonnés comme nous pardonnons nous-mêmes. Lorsque nous gardons rancune aux autres, nous agissons de même à notre égard, et inversement. Mais comment réagir s'ils ne se repentent pas ? Devons-nous pardonner quand même ? Il n'est pas facile de prier : « Pardonne-nous nos offenses, comme nous aussi nous pardonnons à ceux qui nous ont offensés » si nous n'avons pas passé l'éponge sur les ardoises morales de nos débiteurs. Il peut s'agir d'excuses qu'on nous doit pour des transgressions précédentes.

> Les justes s'humilient et ressortent grandis de chaque chute.

6. Écartez-vous pour laisser place au Seigneur. Lorsque la situation semble sans espoir après que vous ayez pardonné et que vous ayez fait tout votre possible pour vous réconcilier, vous pouvez vous écarter et faire écho aux paroles de David : « L'Éternel sera juge entre moi et toi, et l'Éternel me vengera de toi ; mais je ne porterai point la main sur toi » (1 Sam. 24.13).

Dieu accomplira son plan dans nos vies. Si nous pensons devoir à tout prix avoir le dernier mot, nous vivrons dans la frustration et dans la colère. La rage cherche une cible ou un paiement pour les blessures infligées ; la fureur et l'exaspération crient vengeance. Mais Dieu ne veut pas que nous cédions à cette tentation. Sa Parole nous dit : « À moi la vengeance, à moi la rétribution ! et encore : Le Seigneur jugera son peuple » (Héb. 10.30).

Dieu souhaite que ses enfants soient passionnés et forts. Si votre colère n'est pas constructive, si vous la tournez contre vous-même ou que vous vous en prenez à ceux qui vous entourent, vous perdrez votre passion et vous deviendrez déprimé ou oppressé. On ne trouve jamais la liberté en se rebellant contre les voies et la sagesse de Dieu, mais en suivant à la lettre ses instructions vivifiantes. On peut alors vivre sans regret, sans crainte et sans traîner derrière soi les chaînes de son passé.

> *On ne trouve jamais la liberté en se rebellant contre les voies et la sagesse de Dieu.*

Un guide pour repartir du bon pied

Si vous le désirez, vous pouvez vivre sans rage ni colère destructrice, être passionné et efficace, compatissant et intentionné, et maître de votre colère et de vos frustrations. Vous trouverez dans les pages qui suivent un guide de lectures bibliques et de prière de vingt-et-un jours qui vous aidera à concrétiser les vérités que vous avez apprises. Vous pourrez les employer à votre gré. Peut-être souhaiterez-vous vous concentrer sur certains passages, ou les réviser par la suite. J'ai ajouté la prière, une possibilité de tenir son journal ainsi qu'une étude des Écritures sous une forme simple et facile à employer.

Ce guide est censé débuter un lundi. Vos journées commencent par un culte matinal introduit par un ou plusieurs passages bibliques qui vous aideront à effectuer un processus de transformation. Les passages bibliques sont ensuite brièvement commentés et suivis de la prière. À partir des doctrines que vous aurez apprises, vous rédigerez ensuite votre plan d'action pour la journée. Puis le bilan de la journée vous donnera l'occasion de noter ce qui s'est passé (vos réussites du jour, ainsi que vos péchés personnels, vos erreurs, vos faux pas et vos confessions). La liste du pardon, elle, vous permettra d'écrire le nom de ceux qui vous ont blessé et à qui vous voulez pardonner (Attention : une fois que vous aurez inscrit quelqu'un, ne le barrez jamais !) Dans la partie suivante, inscrivez votre liste d'actions pour le lendemain, puis vos pensées et vos réflexions concernant vos progrès du jour. Certaines journées contiennent une partie finale, les applications, qui consistent en une série d'exercices destinés à vous faire réfléchir. Les dimanches (7, 14 et 21) vous donnent l'occasion de revoir les passages bibliques de la semaine et vous suggèrent des idées d'applications pratiques.

Ce livre a pour objectif de vous aider à vous transformer, et cela ne peut se faire que si vous prenez votre croix et que vous renoncez à vous-même. Je ne vous promets pas que vous serez parfait en trois semaines, mais si vous lisez et appliquez la Parole de Dieu de tout votre cœur, vous commencerez à changer. Votre cœur s'adoucira et recevra plus tendrement ce que votre Père veut vous transmettre.

Comme toujours, ce n'est pas le nombre de textes bibliques que vous connaissez qui importe, mais leur mise en pratique. C'est seulement dans cette mesure que vous pourrez porter du fruit. Ne vous pressez pas. Il ne s'agit pas d'un concours de vitesse, mais d'un processus. Certains des passages bibliques ont déjà été mentionnés précédemment, mais ils valent la peine qu'on s'y attarde. Prions et faisons ensemble ce voyage !

PREMIER JOUR

Culte matinal

> « Ô Dieu ! Crée en moi un cœur pur, renouvelle en moi un esprit bien disposé. Ne me rejette pas loin de ta face, ne me retire pas ton Esprit saint. »
>
> *(Ps. 51.12-13)*

> « Notre capacité… vient de Dieu. Il nous a aussi rendus capables d'être ministres d'une nouvelle alliance, non de la lettre, mais de l'Esprit ; car la lettre tue, mais l'Esprit vivifie. »
>
> *(2 Cor. 3.5-6)*

Commentaires

Ces passages montrent très clairement que pour pouvoir suivre les voies de Dieu, nous avons besoin de l'intervention et des instructions du Saint-Esprit. Dans le Psaume 51, David a imploré le Seigneur pour qu'il lui donne un cœur pur, et il a plaidé pour rester en présence de Dieu et pour être rempli de son Saint-Esprit. Dans Jean 20, nous lisons que Jésus a transmis le Saint-Esprit à ses disciples. J'ai constaté avec stupéfaction qu'il l'avait fait afin qu'ils puissent pardonner aux autres. Généralement, nous n'y parvenons qu'avec l'aide de l'Esprit de Dieu. 2 Corinthiens 3 souligne le fait que c'est l'Esprit qui nous qualifie, car il vivifie, alors que la lettre tue. Nous avons besoin de demander à l'Esprit saint de vivifier tous les textes des Écritures que nous lisons, afin qu'ils nous édifient et nous transforment.

Père céleste,

Je viens à toi au nom de ton précieux Fils Jésus. Père, tu as promis d'envoyer le Consolateur, le Conseiller, le Saint-Esprit pour m'enseigner toute chose et me rappeler tout ce que tu m'as dit. Merci pour ton précieux don qui me permet de ne pas être seul lorsque j'étudie ta Parole et que je cherche ton conseil. Ouvre mes yeux pour que je voie, mes oreilles pour que j'entende et mon cœur pour que je croie.

Je prie maintenant selon ta Parole, car j'ai l'assurance que c'est ce que tu veux pour ma vie. Père, crée en moi un cœur pur, et renouvelle en moi un esprit bien disposé. Ne me rejette pas loin de ta face, et ne me retire pas ton précieux Esprit saint. Saint-Esprit, tu as soufflé sur moi pour me rendre capable de pardonner à ceux qui en ont besoin. Rappelle-les à mon souvenir à l'instant même. Que chaque verset et chaque passage des Saintes Écritures me vivifie. Je m'engage à prier avant de lire la Bible afin de te demander qu'elle ne reste pas lettre morte. Au nom de Jésus.

Résolutions du jour :

_____

_____

_____

_____

Bilan de la journée

Réussites :

_____

_____

_____

_____

Confessions :

_____

_____

_____

_____

Liste du pardon :

_____

_____

_____

_____

Résolutions pour le lendemain :

_____

_____

_____

_____

Pensées et réflexions du jour :

_____

_____

_____

_____

DEUXIÈME JOUR

Culte matinal

> « Celui qui est lent à la colère a une grande intelligence,
> mais celui qui est prompt à s'emporter proclame sa folie. »
>
> (Prov. 14.29)

> « Si vous vous mettez en colère, ne péchez point ; que le
> soleil ne se couche pas sur votre colère, et ne donnez pas
> accès au diable. »
>
> (Eph. 4.26-27)

Commentaires

Ici, l'auteur des Proverbes compare ceux qui sont lents à la colère à des gens très intelligents, et les impulsifs (ceux qui « démarrent au quart de tour ») à des insensés. Nous devons réfléchir avant de parler et savoir maîtriser notre fureur. Comme nous l'avons déjà découvert, pour ne pas pécher, il ne faut pas laisser le soleil se coucher sur notre colère. Paul nous avertit de ne pas différer la résolution des problèmes afin de ne pas laisser accès au diable dans notre vie.

Père céleste,

Je viens devant toi au nom de Jésus. Rends-moi intelligent afin que je n'explose plus de rage. Esprit Saint, empêche-moi de répondre trop vite. Je te demande pardon pour mon caractère impulsif et insensé. Lave-moi. Aide-moi à aller me coucher d'un cœur léger. Je refuse d'aller au lit rempli d'amertume et de colère, et je m'engage à pardonner aux autres comme à moi-même. Je ne me rongerai plus quand je serai couché. Je ne m'accuserai plus moi-même. Je te demande de me protéger pendant les veilles de la nuit et de me garder du malin.

Résolutions du jour :

_____
_____
_____
_____

Bilan de la journée

Réussites :

_____
_____
_____
_____

Confessions :

_____
_____
_____
_____

Liste du pardon :

_____
_____
_____
_____

Résolutions pour le lendemain :

_____
_____
_____
_____

Pensées et réflexions du jour :

_____

_____

_____

_____

Application

Quand je veux répondre impulsivement ou trop vite, je ferai ceci à la place (Exemples : compter jusqu'à dix, réciter un verset biblique, me taire...) :

_____

_____

_____

_____

_____

_____

Contre qui suis-je le plus souvent en colère quand je suis sur le point de dormir ?

_____

_____

_____

(Faites un effort pour pardonner à ces individus [y compris à vous-même] afin de pouvoir vous réveiller le lendemain d'un cœur léger, et non avec des relents d'amertume.)

TROISIÈME JOUR

Culte matinal

> « *Je disais : Je veillerai sur mes voies, de peur de pécher par ma langue ; je mettrai un frein à ma bouche, tant que le méchant sera devant moi.* »
>
> *(Ps. 39.1)*

> « *L'insensé met en dehors toute sa passion, mais le sage la contient.* »
>
> *(Prov. 29.11)*

Commentaires

Quand David parlait d'être devant le méchant, il savait ce qu'il disait. Parfois, je m'imagine que de son temps, les choses étaient plus claires. David était un roi avec un cœur de berger. Au lieu d'opter pour se défendre lui-même, il choisit de garder la bouche fermée. C'est ce que Jésus allait faire, lui aussi, des générations plus tard. Il allait rester muet comme un agneau en face de ses accusateurs. Cela s'applique aussi aux plaisanteries salaces et aux jeux de mots égrillards. Mais souvent, les gens qui nous font face et auxquels nous devons fermer la bouche ne sont pas nos ennemis : il s'agit des membres de notre famille ! Quant au texte des Proverbes, il souligne le fait que les insensés explosent, alors que les sages savent se contrôler.

Père céleste,

Je viens à toi au nom de Jésus. Pardonne-moi toutes les fois où j'ai laissé éclater ma colère. Donne-moi le pouvoir de me maîtriser. Je m'engage à veiller sur mes voies et à mettre un frein à ma bouche lorsque je suis en présence de mes ennemis. J'empêcherai ma langue de pécher, et je ne me joindrai à aucune conversation impie.

AU SECOURS, JE VAIS EXPLOSER !

Résolutions du jour :

_____
_____
_____
_____

Bilan de la journée

Réussites :

_____
_____
_____
_____

Confessions :

_____
_____
_____
_____

Liste du pardon :

_____
_____
_____
_____

Résolutions pour le lendemain :

_____
_____
_____
_____

Pensées et réflexions du jour :

_____

_____

_____

_____

Application

(Faites cette prière, puis notez ce qu'elle vous inspire dans les lignes ci-dessous)

> *Seigneur, montre-moi à quels moments je me suis associé à l'impiété. Je confesse que, parfois, quand j'étais en compagnie d'incroyants, j'ai péché en paroles. Lave-moi, et que dorénavant mes lèvres bénissent les autres.*

_____

_____

_____

_____

_____

_____

_____

_____

_____

_____

_____

_____

_____

_____

_____

QUATRIÈME JOUR

Culte matinal

> « Une réponse douce calme la fureur, mais une parole dure excite la colère. La langue des sages rend la science aimable, et la bouche des insensés répand la folie. »
>
> *(Prov. 15.1-2)*

> « Mieux vaut habiter dans une terre déserte qu'avec une femme querelleuse et irritable. »
>
> *(Prov. 21.19)*

Commentaires

Je suis loin d'avoir une langue douce. (Très, très loin.) Mais j'ai appris que lorsque je n'étais pas d'accord avec mon mari, mes enfants ou qui que ce soit d'autre, je pouvais soulager une partie de la tension ambiante en baissant le volume et le ton de ma voix. La dureté ne fait que jeter de l'huile sur le feu. Nous sommes souvent durs par peur de ne pas être entendus. À ce moment-là, nous exagérons au point de passer pour fou, et notre entourage pourrait citer les versets ci-dessus des Proverbes à notre sujet.

Père céleste,

Je viens à toi au nom de Jésus. Montre-moi comment répondre gentiment aux autres. Dans le passé, j'ai parlé durement par peur de ne pas être entendu, mais je vais me confier en toi et apaiser les tempêtes par mes paroles au lieu de les faire redoubler d'intensité. Je ne laisserai plus ma bouche être un geyser, mais plutôt une source de vie, afin que les autres puissent être rafraîchis par mes lèvres, et non noyés ou trempés. Seigneur, pardonne-moi les moments où j'ai été furieux et hargneux. Je choisis d'être content, paisible, doux et aimable. Je ne lutterai plus contre la nature que Dieu m'a donnée, mais je développerai ma douceur, conscient que ce n'est pas un aveu de faiblesse, mais la voie la meilleure.

Résolutions du jour :

_____
_____
_____
_____

Bilan de la journée

Réussites :

_____
_____
_____
_____

Confessions :

_____
_____
_____
_____

Liste du pardon :

_____
_____
_____
_____

Résolutions pour le lendemain :

_____
_____
_____
_____

Pensées et réflexions du jour :

_____

_____

_____

_____

Application

Quand ai-je pour la dernière fois répondu durement et explosé publiquement ?

_____

_____

_____

_____

Quand ai-je répondu gentiment et apaisé une tempête ?

_____

_____

_____

_____

Est-ce que je mesure mes paroles ou est-ce que je dis tout ce qui me passe par la tête ?

_____

_____

_____

_____

Dans quels domaines suis-je le plus irritable ?

_____

_____

_____

_____

Je dois remettre ces domaines au Seigneur :

_____
_____
_____
_____

Je suis reconnaissant pour :

_____
_____
_____
_____

CINQUIÈME JOUR

Culte matinal

> « Ne fréquente pas l'homme colérique, ne va pas avec l'homme violent, de peur que tu ne t'habitues à ses sentiers, et qu'ils ne deviennent un piège pour ton âme. »
> (Prov. 22.24-25)

> « La sage a de la retenue et se détourne du mal, mais l'insensé est arrogant et plein de sécurité. Celui qui est prompt à la colère fait des sottises, et l'homme plein de malice s'attire la haine. »
> (Prov. 14.16-17)

Commentaires

Ce sont toujours de bons conseils, mais encore plus à présent que vous avez décidé de garder soigneusement votre cœur. La colère et le comportement agressif sont contagieux. Les querelleurs ont toujours une bonne raison de s'irriter. On dirait que le monde entier leur en veut ! Si vous n'y prenez pas garde, vous serez tenté de prendre leur parti.

Père céleste,

Je viens à toi au nom de Jésus. Montre-moi tous les amis et tous les proches qui, dans ma vie, ont les nerfs à fleur de peau. Je ne veux pas prendre exemple sur eux, mais sur toi. Si je suis engagé dans ce genre de relation, prends l'épée de ta Parole et débarrasse-moi de ce lien. Seigneur, c'est toi que je veux craindre, et toi seul ; c'est pourquoi je décide de t'honorer et de me détourner du mal. Je veux être simple comme un enfant, et non retors et rusé. Je désire être malléable et conforme à ton image. Caché en toi, je n'aurai aucune crainte. Garde-moi d'être un insensé, je t'en prie.

Résolutions du jour :

_____
_____
_____
_____

Bilan de la journée

Réussites :

_____
_____
_____
_____

Confessions :

_____
_____
_____
_____

Liste du pardon :

_____
_____
_____
_____

Résolutions pour le lendemain :

_____
_____
_____
_____

Pensées et réflexions du jour :

_____

_____

_____

_____

Application

Ai-je des amis ou des proches colériques ?

_____

_____

_____

_____

Quels sont mes points faibles dans ce domaine ?

_____

_____

_____

_____

SIXIÈME JOUR

Culte matinal

> « *Celui qui veille sur sa bouche et sur sa langue préserve son âme des angoisses.* »
>
> *(Prov. 21.23)*

> « *Par la lenteur à la colère on fléchit un prince, et une langue douce peut briser des os.* »
>
> *(Prov. 25.15)*

Commentaires

Lorsque nous prenons garde à nos paroles, nous en retirons de grands bénéfices, car nous nous épargnons l'adversité, l'affliction, les épreuves et la misère. Garder vos lèvres, c'est vous garder vous-même. Grâce à la patience, à la bonté et au sang-froid, vous pouvez influencer des gens influents. Les paroles douces peuvent adoucir les cœurs les plus durs. Elles transpercent la carapace la plus épaisse.

Père céleste,

Je viens à toi au nom de Jésus. Je commence à comprendre que j'exercerai une influence bien plus grande avec des paroles gentilles qu'avec des mots blessants. Tu as promis que ce principe fléchirait le cœur des princes ; à plus forte raison, il sera efficace avec mes proches, mes amis et mes collègues de travail ! Je me soumets à ta sagesse et à tes voies.

Résolutions du jour :

_____

_____

_____

_____

Bilan de la journée

Réussites :

_____
_____
_____
_____

Confessions :

_____
_____
_____
_____

Liste du pardon :

_____
_____
_____
_____

Résolutions pour le lendemain :

_____
_____
_____
_____

Pensées et réflexions du jour :

_____
_____
_____
_____

Application

De quelle façon mes paroles dures m'ont-elles attiré des soucis autrefois ?

_____

_____

_____

_____

Comment puis-je être plus gentil désormais ?

_____

_____

_____

_____

SEPTIÈME JOUR (DIMANCHE)

Relisez les passages bibliques de la semaine et faites des observations personnelles :

_____

_____

_____

_____

_____

_____

_____

_____

Idées d'applications pratiques

1. Dieu a exhorté les enfants d'Israël à graver sa Parole sur les linteaux de leur porte et de leur cœur. Faites des pancartes que vous mettrez aux endroits les plus fréquentés de votre maison — pas seulement pour vous, mais aussi pour les autres.

L'une de mes amies, Tammy, a placé des affiches à plusieurs endroits de sa maison : « Est-ce que cela honore Dieu ? » Elle en a mis une dans la cuisine, une derrière la porte du placard à provisions et d'autres près des chambres de ses enfants. Il peut aussi bien s'agir d'un message écrit au tableau que brodé sur un coussin ! Vous pouvez même inscrire des versets de la Parole de Dieu sur vos murs. Mon fils a peint une version abrégée de Philippiens 2.14-15 sur la porte de notre réfrigérateur.

2. On peut aussi mémoriser en famille un verset hebdomadaire que chacun s'efforcera d'appliquer. Pour cela, affichez-le à plusieurs endroits et discutez fréquemment de ses applications pratiques. Au moment du petit déjeuner, demandez à vos enfants comment ils peuvent l'appliquer à l'école, en famille ou avec leurs amis, puis reparlez-en

pendant le dîner. Expliquez ce que Dieu demande ainsi que ce qu'il promet. Insistez bien sur la promesse, et pas seulement sur l'exigence divine.

3. Demandez à l'un ou à l'une de vos ami(e)s de vous aider dans cette démarche. Parlez-lui à cœur ouvert. Demandez-lui de vous dire si vous parlez et agissez correctement. Les femmes peuvent avoir une amie intime, puisque la Bible incite les femmes âgées à apprendre aux plus jeunes à aimer leur mari et leurs enfants.

HUITIÈME JOUR

Culte matinal

> « Garde le silence devant l'Éternel, et espère en lui ; ne t'irrite pas contre celui qui réussit dans ses voies, contre l'homme qui vient à bout de ses mauvais desseins. Laisse la colère, abandonne la fureur ; ne t'irrite pas, ce serait mal faire. »
>
> (Ps. 37.7-8)

> « Si quelqu'un croit être religieux sans tenir sa langue en bride, mais en trompant son cœur, la religion de cet homme est vaine. »
>
> (Jacques 1.26)

Commentaires

Rester silencieux lorsque nous subissons ce qui, à notre avis, est une injustice est toujours difficile. Mais Dieu nous encourage à ne pas nous irriter contre ceux qui réussissent dans leurs voies. Ce sont des gens qui ont du succès dans leurs stratagèmes, alors que vous vous attendez patiemment au plan de Dieu. Lorsque vous vous inquiétez, vous faites mal. Quant au deuxième texte des Écritures, il affirme qu'en tenant notre langue en bride, nous témoignons du fait que nous comptons sur le Seigneur pour agir à notre profit dans notre situation.

> Père céleste,
>
> Je viens à toi au nom de Jésus. Je me rends compte que j'ai observé les autres et que je me suis fait du souci. Je me suis inquiété à l'idée que tu ne regardais pas la situation et que tu ne faisais pas justice. Pardonne-moi mon inquiétude, qui ne m'a amené qu'à juger les autres, à me comparer à eux et à être mécontent. Je prendrai courage en lisant ta Parole, et je chanterai ta fidélité.

Résolutions du jour :

_____
_____
_____
_____

Bilan de la journée

Réussites :

_____
_____
_____
_____

Confessions :

_____
_____
_____
_____

Liste du pardon :

_____
_____
_____
_____

Résolutions pour le lendemain :

_____
_____
_____
_____

Pensées et réflexions du jour :

_____

_____

_____

_____

Application

Dans quels domaines suis-je le plus enclin à juger ? S'agit-
il de domaines dans lesquels j'ai des responsabilités ?

_____

_____

_____

_____

Je vais apprendre à me décharger sur le Seigneur dans ces
domaines précis de ma vie :

_____

_____

_____

_____

NEUVIÈME JOUR

Culte matinal

> « Enfin, soyez tous animés des mêmes pensées et des mêmes sentiments, pleins d'amour fraternel, de compassion, d'humilité. Ne rendez point mal pour mal, injure pour injure ; bénissez, au contraire, car c'est à cela que vous avez été appelés afin d'hériter la bénédiction. Si quelqu'un, en effet, veut aimer la vie et voir des jours heureux, qu'il préserve sa langue du mal et ses lèvres des paroles trompeuses. »
>
> *(1 Pierre 3.8-10)*

Commentaires

Vous êtes sur le point de faire une merveilleuse découverte : quand vous ne rendez plus mal pour mal ou injure pour injure, vous vivrez en harmonie et vous serez plein de compassion et d'humilité. Bénissez donc ceux qui vous maudissent ! Cela vous permettra d'hériter de la bénédiction. Cela découlera directement du fait que vous préserverez votre langue du mal et vos lèvres des paroles trompeuses. Avez-vous été insulté dernièrement ? Dans ce cas, il est temps de bénir ceux qui vous ont maudit !

> *Père céleste,*
>
> *Je viens à toi au nom de Jésus. Je te bénis de me donner l'occasion d'hériter d'une bénédiction. Montre-moi tous les domaines de ma vie qui ne sont pas droits. Rappelle-moi les personnes à qui j'ai rendu mal pour mal. Je décide maintenant de bénir au lieu de maudire. Je veux transmettre la vie au lieu de la mort, dans ma vie comme dans celle des autres.*

Résolutions du jour :

_____

_____

_____

_____

Bilan de la journée

Réussites :

_____

_____

_____

_____

Confessions :

_____

_____

_____

_____

Liste du pardon :

_____

_____

_____

_____

Résolutions pour le lendemain :

_____

_____

_____

_____

Pensées et réflexions du jour :

_____

_____

_____

_____

Application

Quand j'ai choisi de rendre mal pour mal, à quoi cela a-t-il abouti ?

_____

_____

_____

_____

Quand j'ai rendu le bien pour le mal, comment ai-je été béni ?

_____

_____

_____

_____

DIXIÈME JOUR

Culte matinal

> « Un homme colérique excite des querelles, et un furieux commet beaucoup de péchés. »
>
> *(Prov. 29.22)*

> « Ne te hâte pas en ton esprit de t'irriter, car l'irritation repose dans le sein des insensés. »
>
> *(Ecc. 7.9)*

Commentaires

Les colériques excitent les querelles. Quand on agite une balle dans un vase, elle continue à tourner pendant très longtemps. Le cycle semble ne jamais devoir s'arrêter ! Les problèmes et les offenses irrésolus continuent à faire monter la pression. Un furieux (quelqu'un qui est perpétuellement en rage) commet une multitude de péchés. Le texte de l'Ecclésiaste nous met en garde contre l'irritation rapide. J'aime l'image qui nous est donnée ici de la colère résidant dans le sein des insensés. Mes quatre garçons se sont reposés contre moi de temps à autre, surtout quand nous avons pris l'avion, et je savais très bien qui était sur mes genoux à ce moment-là.

Père céleste

Je viens à toi au nom de Jésus. Je ne veux pas exciter des querelles alors que tu me demandes d'être un instrument de paix. Je me rends compte que c'est ce que ma colère a produit. Non seulement j'en suis mal à l'aise, mais cela ennuie et perturbe tout mon entourage. C'est pourquoi je vais dorénavant réfléchir avant de réagir.

Résolutions du jour :

_____

_____

_____

_____

Bilan de la journée

Réussites :

_____

_____

_____

_____

Confessions :

_____

_____

_____

_____

Liste du pardon :

_____

_____

_____

_____

Résolutions pour le lendemain :

_____

_____

_____

_____

Pensées et réflexions du jour :

_____

_____

_____

_____

Application

Dans quel domaine suis-je particulièrement irritable ?

_____

_____

_____

_____

ONZIÈME JOUR

Culte matinal

> « Qu'il ne sorte de votre bouche aucune parole mauvaise, mais, s'il y a lieu, quelque bonne parole, qui serve à l'édification et communique une grâce à ceux qui l'entendent. N'attristez pas le Saint-Esprit de Dieu, par lequel vous avez été scellés pour le jour de la rédemption. Que toute amertume, toute animosité, toute colère, toute clameur, toute calomnie, et toute espèce de méchanceté disparaissent du milieu de vous. Soyez bons les uns envers les autres, compatissants, vous pardonnant réciproquement, comme Dieu vous a pardonné en Christ. »
>
> *(Éph. 4.29-32)*

Commentaires

Ces versets sont difficiles à mettre en application ! Vous remarquerez que nous sommes censés ne laisser aucune parole mauvaise, injurieuse, venimeuse ou agressive franchir nos lèvres. Cela veut dire qu'il nous est tout à fait possible de filtrer nos paroles ; nous devons choisir avec soin des mots qui aident et édifient les autres. Nous sommes exhortés à faire du bien à nos auditeurs. Les paroles sont puissantes. Elles peuvent édifier ou détruire, guérir ou blesser, purifier ou empoisonner. Non seulement nous exerçons une influence sur ceux qui nous regardent, mais Quelqu'un d'autre est toujours présent et nous écoute attentivement : le Saint-Esprit. Lorsque nous ne savons pas nous contenir et que nous manquons de sagesse, nous l'attristons. Comme c'est lui qui nous scelle pour le jour de la rédemption, Paul nous incite à mettre de côté tout ce qui pourrait l'attrister : l'amertume, la rage, la colère, les disputes, les calomnies et toute forme de méchanceté. Lorsque nous manifestons ce genre de fruits, c'est que notre cœur est en piètre état !

Père céleste,

Je viens à toi au nom de Jésus. Je me soumets de nouveau à la nécessité de garder ma bouche. Je réalise également que ce sont souvent mes méditations intérieures qui guident les paroles de ma bouche. Rends les motivations de mon cœur pures et agréables à tes yeux. Dispose-moi à écouter ceux qui m'entourent et à ne pas attrister ton Saint-Esprit. Que mes paroles aient le pouvoir de transmettre la guérison, la santé et la sagesse. Qu'elles incitent mes auditeurs à te servir et à t'aimer davantage. Pour obéir à ta Parole, je me débarrasse du fruit de la méchanceté. Donne-moi tes yeux et ta compassion, afin que je pardonne comme tu m'as toi-même généreusement pardonné.

Résolutions du jour :

_____
_____
_____
_____

Bilan de la journée

Réussites :

_____
_____
_____
_____

Confessions :

_____
_____
_____
_____

Liste du pardon :

_____
_____
_____
_____

Résolutions pour le lendemain :

_____
_____
_____
_____

Pensées et réflexions du jour :

_____
_____
_____
_____

Application

Quelles bonnes paroles puis-je prononcer pour contrer
l'effet nuisible de mes mauvaises paroles passées ? (Notez
quelques bénédictions et les personnes auxquelles vous les
adresserez.)

_____
_____
_____
_____
_____
_____
_____
_____
_____

DOUZIÈME JOUR

Culte matinal

> « *Celui qui est sage de cœur manifeste la sagesse par sa bouche, et l'accroissement de son savoir paraît sur ses lèvres. Les paroles agréables sont un rayon de miel, douces pour l'âme et salutaires pour le corps. Telle voie paraît droite à un homme, mais son issue, c'est la voie de la mort.* »

(Prov. 16.23-25)

> « *Celui qui est lent à la colère vaut mieux qu'un héros, et celui qui est maître de lui-même, que celui qui prend des villes.* »

(Prov. 16.32)

Commentaires

Nous avons ici, une fois de plus, une confirmation du lien existant entre le cœur et la bouche. Il y a une relation invisible, mais indéniable. Le sage laisse son cœur (et non ses sentiments, ses mauvaises habitudes, ses émotions ou ses réactions) déterminer ses paroles et ses actes. Les lèvres qui dispensent l'instruction se préoccupent de la façon dont leurs paroles affectent les autres. Leurs conversations guident les autres vers la justice. Leurs propos sont doux et laissent un goût délicieux dans la bouche des autres. Notre second passage des Proverbes nous montre qu'un homme patient est plus fort qu'un héros. Les combattants ont des réflexes rapides, alors que les hommes patients sont plus puissants que ceux qui prennent des villes. La plupart d'entre nous sont davantage impressionnés par la conquête d'une ville que par la maîtrise de soi, mais pas le Seigneur, qui sait fort bien que la bataille qui fait rage en nous est plus acharnée que celle qui sévit au dehors.

Père céleste,

Je viens à toi au nom de Jésus. Je veux que mon cœur règne sur ma bouche. Je ne laisserai plus mes émotions régner sur ma vie. Je veux prononcer tes paroles agréables pour pouvoir connaître la guérison et transmettre la santé et la vie à ceux qui entendent et méditent mes propos. Révèle-moi à quel point ils sont importants. Je réalise qu'ils peuvent avoir une influence inouïe. Je veux communiquer à ma vie et à celle des autres tes instructions et ta piété. Je me détourne de la voie qui paraît droite à mes yeux pour me tourner vers ta voie vivifiante. Que je devienne fort en maîtrisant mon caractère impulsif. Je veux être puissant aux yeux de Dieu et non à ceux des hommes.

Résolutions du jour :

_____

_____

_____

_____

Bilan de la journée

Réussites :

_____

_____

_____

_____

Confessions :

_____

_____

_____

_____

Liste du pardon :

_____

_____

_____

_____

Résolutions pour le lendemain :

_____

_____

_____

_____

Pensées et réflexions du jour :

_____

_____

_____

_____

Application

(Faites cette prière)

> *Père, montre-moi ceux qui ont besoin de paroles édifiantes.*

TREIZIÈME JOUR

Culte matinal

> « Ayez les mêmes sentiments les uns envers les autres.
> N'aspirez pas à ce qui est élevé, mais laissez-vous attirer
> par ce qui est humble. Ne soyez point sages à vos propres
> yeux. Ne rendez à personne le mal pour le mal.
> Recherchez ce qui est bien devant tous les hommes. S'il est
> possible, autant que cela dépend de vous, soyez en paix
> avec tous les hommes. Ne vous vengez pas vous-mêmes,
> bien-aimés, mais laissez agir la colère ; car il est écrit : À
> moi la vengeance, à moi la rétribution, dit le Seigneur. »
> (Rom. 12.16-19)

Commentaires

Vivre en harmonie, c'est vivre d'une façon agréable et amicale
avec les autres. Nous devons renoncer à toutes les distinctions que
nous aimons posséder pour accueillir à bras ouverts ceux qui sont,
pensons-nous, inférieurs à nous. Nous ne devons pas faire preuve
d'orgueil ou d'arrogance. Gardons-nous de nous targuer de notre
importance ! Souvenons-nous plutôt qu'en Christ, nous sommes
appelés à nous rendre serviteurs les uns des autres. Lorsque nous
renonçons à notre arrogance et à notre orgueil, nous ne rendons
plus le mal pour le mal, mais nous tendons l'autre joue. Nous
sommes incités à faire tout notre possible pour bien agir devant les
hommes et, autant que cela dépend de nous, pour vivre en paix avec
tous. Cela implique que nous nous retenions de nous venger et que,
avec une foi et une confiance d'enfant, nous laissions le Seigneur
faire lui-même justice, car lui seul connaît bien toutes les données
du problème, est fidèle et toujours constant.

Père céleste,

*Je viens à toi au nom de Jésus. Montre-moi comment je
peux être l'ami de ceux qui croisent mon chemin. Ouvre
mes yeux afin que je sache discerner les préjugés tapis*

dans mon cœur. Donne-moi la révélation d'un serviteur en paroles comme en actes. Je ne m'appartiens plus à moi-même ; c'est toi qui tiens ma vie dans tes mains. Je compte sur toi pour me protéger. Je ne rendrai pas le mal pour le mal, car toi, tu m'as fait du bien, alors que je méritais la condamnation. Je renonce à me draper dans mon orgueil et mon arrogance. Je ne veux être une pierre d'achoppement pour personne. Saint Esprit, garde mes pas afin que je ne pèche pas contre toi. Je renonce au joug de l'orgueil et de la peur et je revêts le manteau de l'humilité et de la foi en ta bonté.

Résolutions du jour :

_____

_____

_____

_____

Bilan de la journée

Réussites :

_____

_____

_____

_____

Confessions :

_____

_____

_____

_____

Liste du pardon :

_____

_____

_____

_____

Résolutions pour le lendemain :

_____

_____

_____

_____

Pensées et réflexions du jour :

_____

_____

_____

_____

Application

Je renonce à me venger de _____, et
je le transfère sur ma liste de pardon.

(Prononcez cette prière)

Père, dévoile-moi mes préjugés.

QUATORZIÈME JOUR (DIMANCHE)

Révisez les passages bibliques de la semaine. Quelles conclusions personnelles en tirez-vous ?

_____
_____
_____
_____
_____
_____
_____
_____
_____
_____

Idées d'applications pratiques

1. Créez une cellule de prière avec des ami(e)s chrétien(ne)s. Faites en sorte que ce soit un endroit accueillant où chacun se sentira libre d'exposer ses craintes et ses faux pas. Priez les uns pour les autres afin que vous puissiez être guéris.

2. En vous promenant, écoutez des cassettes de cantiques chrétiens qui élèvent votre esprit et vous rapprochent de Dieu.

3. Ne soyez pas trop perfectionniste. Discernez ce qui est vraiment important et soyez plus coulant pour les points de détail. Cela réduira une grande partie de la pression qui pèse sur votre vie à votre insu.

QUINZIÈME JOUR

Culte matinal

> « *Mon âme sera rassasiée comme de mets gras et succulents, et, avec des cris de joie sur les lèvres, ma bouche te célèbrera. Lorsque je pense à toi sur ma couche, je médite sur toi pendant les veilles de la nuit. Car tu es mon secours, et je suis dans l'allégresse à l'ombre de tes ailes. Mon âme est attachée à toi, ta droite me soutient.* »
> (Ps. 63.6-9)

> « *Il te couvrira de ses plumes, et tu trouveras un refuge sous ses ailes ; sa fidélité est un bouclier et une cuirasse.* »
> (Ps. 91.4)

Commentaires

Pensez à la sensation que vous avez éprouvée en sortant d'un banquet au cours duquel vous avez goûté à une grande quantité de mets délicieux et délicats, mais sans en abuser. Chaque plat était joliment présenté, et vous en avez pris juste ce qu'il vous fallait, sans plus. Vous voilà satisfait. Vous êtes béat et content. De même, vous êtes invité à goûter combien le Seigneur est bon. Au lieu de grincer les dents en ruminant vos déboires de la journée, vous êtes invité à vous régaler ! En vous couchant, vous devriez penser à la bonté de votre Père et vous blottir dans votre lit comme si vous étiez sous ses ailes protectrices. Ici, le Seigneur est représenté comme un oiseau gigantesque dont les petits sont blottis sous les ailes chaudes et douillettes. Ils sont séparés du monde pour la nuit, bien protégés de toute tempête et de tout ennemi. Dans cette atmosphère, ils peuvent bénir le Seigneur pour son aide et sa protection dans leur vie. Chaque jour, vous pouvez, vous aussi, le célébrer du fond du cœur.

Le sommeil est un état mystérieux. C'est le moment où nous sommes le plus vulnérables. Nous perdons conscience et, pendant plusieurs heures, nous glissons dans un autre lieu et un autre temps.

Les enfants ont tendance à dormir plus profondément que les adultes. Gais et insouciants, ils ne pensent plus à leurs activités de la journée ; ils s'endorment en paix. Nous qui sommes adultes, nous ne dormons parfois que d'un œil. Trop souvent, nous traînons avec nous les activités du jour. Nous ressassons nos soucis et nos craintes jusqu'à l'aube, et lorsque nous nous levons, nous nous sentons encore plus éreintés que la veille au soir. Notre sommeil n'est pas réparateur ; il nous laisse somnolents et hébétés. Pourtant, le sommeil est essentiel à notre bien-être émotionnel. Si nous n'avons pas dormi suffisamment, nous éprouverons de grandes difficultés à mener à bien nos tâches du jour. Quant à moi, chaque fois que je me suis punie avant d'aller au lit, j'ai mal dormi. C'est pour cela que lorsque nous sommes dans notre lit, nous devons détourner nos yeux de nous-mêmes pour contempler le Seigneur. Si nous nous confions en lui et que nous nous reposons pendant la nuit, il nous gardera en paix.

> *Père céleste,*
>
> *Je viens à toi au nom de Jésus. Lorsque je me coucherai pour dormir, je me régalerai de ta fidélité. Si je veille pendant la nuit, ne laisse pas les soucis du jour me submerger, mais que je puisse réjouir mon âme en méditant sur toi. Pendant les veilles de la nuit, je veux m'appuyer sur tes promesses. Je me débarrasserai de ma crainte et m'appuierai sur toi comme un bébé s'accroche à sa mère. Que mes nuits ne soient plus agitées et exténuantes, mais calmes et reposantes. Je me confie en toi et en ta protection et je refuse de m'inquiéter du lendemain.*

Résolutions du jour :

_____

_____

_____

_____

_____

_____

Bilan de la journée

Réussites :

_____
_____
_____
_____

Confessions :

_____
_____
_____
_____

Liste du pardon :

_____
_____
_____
_____

Résolutions pour le lendemain :

_____
_____
_____
_____

Pensées et réflexions du jour :

_____
_____
_____
_____

Application

Dans quels domaines est-ce que je désire que Dieu me protège ?

_____

_____

_____

_____

SEIZIÈME JOUR

Culte matinal

> « *Aie pitié de moi, ô Dieu, aie pitié de moi ! Car en toi mon âme cherche un refuge ; je cherche un refuge à l'ombre de tes ailes, jusqu'à ce que les calamités soient passées.* »

> *(Ps. 57.1)*

Commentaires

Beaucoup de personnes sont excitées à l'idée d'être protégées par des anges, mais saviez-vous que David, lui, affirmait trouver son refuge sous les ailes du Seigneur ? Nous nous mettrons vite en colère tant que nous n'aurons pas développé notre confiance en Dieu. J'ai appris depuis longtemps que je ne peux pas me protéger moi-même — seul, le Seigneur en a le pouvoir. C'est en lui que vous devez vous blottir. Lorsque vous êtes déçu, accusé injustement, diffamé ou calomnié, courez vous réfugier sous ses ailes. Ne laissez pas l'adversaire vous piéger en tentant de vous défendre ou de vous protéger ; vous n'y parviendrez pas. Dieu nous invite à vous cacher en lui jusqu'à ce que les tempêtes de la vie soient passées. Nous ne gagnons pas cette protection par nos mérites, mais parce qu'il demeure fidèle, même quand nous ne le sommes pas. Comme il est miséricordieux, nous devons nous approcher de lui comme il s'est approché de nous. À l'ombre de ses ailes, notre rage ne peut subsister— il n'y a pas place pour elle à cet endroit. Contrairement à ce qu'elle prétend nous faire croire, la rage n'est jamais un refuge. Nous devons l'abandonner pour entrer en présence de Dieu.

Père céleste,

Je viens à toi au nom de Jésus. Que ton Saint-Esprit imprime l'image de ta protection au plus profond de mon cœur. Je veux me cacher en toi lorsque les calamités de la vie fondent sur moi. Comme j'ai besoin d'être pardonné, je pardonne moi-même avant de me réfugier en ta présence. Je ne commettrai pas l'erreur de m'appuyer sur moi-même ni sur un autre être humain, mais mon âme se confiera en toi, et en toi seul.

Résolutions du jour :

_____
_____
_____
_____

Bilan de la journée

Réussites :

_____
_____
_____
_____

Confessions :

_____
_____
_____
_____

Liste du pardon :

_____
_____
_____
_____

Résolutions pour le lendemain :

_____

_____

_____

_____

Pensées et réflexions du jour :

_____

_____

_____

_____

Application

Dans quels domaines est-ce que je désire être protégé par Dieu ?

_____

_____

_____

_____

DIX-SEPTIÈME JOUR

Culte matinal

> « *Celui qui parle beaucoup ne manque pas de pécher, mais celui qui retient ses lèvres est un homme prudent. La langue du juste est un argent de choix ; le cœur des méchants est peu de chose. Les lèvres du juste dirigent beaucoup d'hommes, et les insensés meurent par défaut de raison.* »
>
> **(Prov. 10.19-21)**

> « *Ne te presse pas d'ouvrir la bouche, et que ton cœur ne se hâte pas d'exprimer une parole devant Dieu ; car Dieu est au ciel, et toi sur la terre ; que tes paroles soient donc peu nombreuses.* »
>
> **(Ecc. 5.2)**

Commentaires

Vous est-il arrivé d'entamer une conversation téléphonique agréable, mais qui a brusquement tourné au vinaigre ? Je me suis souvent demandée si le temps ne jouait pas ce rôle dans notre vie. Ce qui commence de façon spirituelle se gâte souvent avec le temps ou les paroles imprudentes. Certains d'entre nous doivent se fixer pour consigne d'abréger leurs conversations téléphoniques. Lorsque nous ne voyons ni la personne à laquelle nous parlons, ni celle que nous critiquons, nous avons souvent la langue trop bien pendue. Mieux vaut changer fréquemment de sujet que de s'étendre exagérément sur un point pour regretter ensuite d'avoir trop parlé. L'argent de choix n'est pas courant ; il a fallu le raffinement par le feu. Lorsque nous laissons le feu de la Parole de Dieu purifier notre conversation, nous nous abstenons de proférer des impuretés et des indiscrétions. Nous savons que nous ne devons pas dire tout ce qui nous passe par la tête, mais peser nos paroles au lieu d'exploser et d'indisposer notre entourage. Parler sans réfléchir peut causer beaucoup de dégâts ! Lorsque nous nous présentons devant Dieu, nous sommes incités à ne pas trop parler, car il est au ciel, alors que nous sommes d'en bas.

Pour respecter le Seigneur, nous devons savoir à quel moment nous devons parler et à quel autre nous devons écouter. C'est en écoutant que nous apprendrons, et non en parlant. Sachons garder le silence et nous rapprocher de Dieu.

Père céleste,

Je viens à toi au nom de Jésus. Aide-moi à réfléchir avant de parler et à savoir peser mes mots. Que chacun d'eux soit efficace et puissant, et non vain et oiseux. Saint-Esprit, montre-moi à quels moments je me suis laissé aller à trop parler et permets que je sois maintenant un modèle de piété et non de folie. Je veux que mes paroles édifient, instruisent et bénissent les autres. Rends-moi davantage conscient de la teneur de mes conversations.

Résolutions du jour :

_____

_____

_____

_____

Bilan de la journée

Réussites :

_____

_____

_____

_____

Confessions :

_____

_____

_____

_____

Liste du pardon :

_____

_____

_____

_____

Résolutions pour le lendemain :

_____

_____

_____

_____

Pensées et réflexions du jour :

_____

_____

_____

_____

Application

Dans quel genre de situation et avec qui est-ce que je parle trop ?

_____

_____

_____

_____

Quelles relations m'effraient ?

_____

_____

_____

_____

DIX-HUITIÈME JOUR

Culte matinal

> « *La bouche de l'insensé cause sa ruine, et ses lèvres sont un piège pour son âme. Les paroles du rapporteur sont comme des friandises, elles descendent jusqu'au fond des entrailles.* »
>
> (Prov. 18.7-8)

> « *Celui qui méprise son prochain est dépourvu de sens, mais l'homme qui a de l'intelligence se tait. Celui qui répand la calomnie dévoile les secrets, mais celui qui a l'esprit fidèle les garde.* »
>
> (Prov. 11.12-13)

Commentaires

Nous avons déjà beaucoup parlé de la bouche de l'insensé. Regardons maintenant les effets des ragots. Ils sont décrits comme des friandises, délicieuses mais néfastes pour l'âme. Quand vous les écoutez, vous avez envie d'en savoir plus. Vous vous persuadez que cela ne vous fera aucun mal. Après tout, vous êtes mûr et sage... vous savez rester impartial, pensez-vous ! Hélas, à votre insu, vous avez été empoisonné. Lorsque vous revoyez la personne incriminée, ou même que vous entendez son nom, vous la jugez, non sur ses actes, mais sur ses mobiles. Qu'est-ce que cela a à voir avec la colère personnelle ? La rage et les commérages ont pour racine commune la peur. Tous deux ont pour but (illusoire) la protection personnelle. (Si je dis que ce but est illusoire, c'est parce que le Seigneur est le seul à pouvoir véritablement nous protéger.) Les ragots sont toujours des actes de traîtrise. On sacrifie quelqu'un pour conforter sa sécurité, sa position ou son influence. Comme vous avez attendri votre cœur, lorsque vous entendez ou tenez ce genre de propos, vous devriez vous sentir repris. Si l'ennemi sait que vous veillez attentivement sur ce qui sort de votre bouche, il essaiera de vous piéger par ce qui rentre par vos oreilles. La Bible nous dit que « le méchant est attentif à la lèvre inique » (Prov. 17.4). Vous devez garder soigneusement votre cœur, car il est à la source de votre vie en Christ.

Père céleste,

Je viens à toi au nom de Jésus. Apprends-moi à garder non seulement mon cœur, mais aussi mes oreilles. Sépare en moi ce qui est précieux de ce qui est vil afin que je ne pèche pas contre toi au cours de mes conversations. Place un garde près de mes oreilles et oins-moi de ta sagesse afin que je parle correctement lorsque les situations ambiguës se présenteront à moi. Je ne permettrai à personne de médire de mes proches. Je les couvrirai de mes prières, de ton amour et de ta Parole.

Résolutions du jour :

_____

_____

_____

_____

Bilan de la journée

Réussites :

_____

_____

_____

_____

Confessions :

_____

_____

_____

_____

Liste du pardon :

_____

_____

_____

_____

Résolutions pour le lendemain :

_____

_____

_____

_____

Pensées et réflexions du jour :

_____

_____

_____

_____

DIX-NEUVIÈME JOUR

Culte matinal

« *Celui qui veille sur sa bouche garde son âme ; celui qui ouvre de grandes lèvres court à sa perte.* »

(Prov. 13.3)

« *Celui qui aime la pureté du cœur, et qui a la grâce sur les lèvres, a le roi pour ami.* »

(Prov. 22.11)

« *C'est du fruit de sa bouche que l'homme rassasie son corps, c'est du produit de ses lèvres qu'il se rassasie. La mort et la vie sont au pouvoir de la langue ; quiconque l'aime en mangera les fruits.* »

(Prov. 18.20-21)

Commentaires

Sans cesse, nous voyons que la colère et la bouche sont étroitement liées, de même que les lèvres et le cœur. L'abondance ou le contenu de notre cœur se révèle par les conversations de nos lèvres. D'après mon estimation, Proverbes 13 résume à merveille ce point. Dans notre culture actuelle, on sous-estime le pouvoir des mots. Donner sa parole n'a plus beaucoup de sens. Les avocats font fortune pour délier leurs clients de leurs engagements. Or, Dieu ne nous offre pas un contrat, mais une promesse d'alliance basée sur son nom et sa Parole. Il n'est point un homme pour mentir, mais le témoin fidèle et véritable. Le ciel et la terre passeront, mais sa Parole subsistera éternellement. Si nous honorons sa Parole et que nous lui obéissons avec foi, il nous transformera. Un dicton affirme que vous êtes ce que vous mangez. Régalez-vous de la vérité de la Parole de Dieu et vous ne serez plus jamais le même. Vous deviendrez un ami du Roi !

Père céleste,

Je viens à toi au nom de Jésus. Merci d'avoir dressé une table de bonté et de miséricorde devant moi et de m'avoir prié de venir me servir librement de tout ce que tu as disposé pour moi. À mon tour, je veux me délecter de ce qui est bon et agréable, et non de ce qui est néfaste et destructeur. Père, pardonne-moi et purifie-moi de toutes les iniquités que j'ai semées par ma langue et par les actes que j'ai commis sous l'effet de la colère. Le profond désir de mon cœur, c'est de te plaire. Je veux être ton fidèle ami, parce que c'est ce que tu as été pour moi. Je me détourne des fruits de la mort, et je marche dans tes sentiers de vie.

Résolutions du jour :

_____

_____

_____

_____

Bilan de la journée

Réussites :

_____

_____

_____

_____

Confessions :

_____

_____

_____

_____

Liste du pardon :

_____

_____

_____

_____

Résolutions pour le lendemain :

_____

_____

_____

_____

Pensées et réflexions du jour :

_____

_____

_____

_____

Application

Quel genre d'ami est-ce que je désire ?

_____

_____

_____

_____

Quel genre d'ami suis-je ?

_____

_____

_____

_____

VINGTIÈME JOUR

Culte matinal

> « Car c'est Dieu qui produit en nous le vouloir et le faire, selon son bon plaisir. Faites **toutes choses sans murmures ni hésitations, afin que vous soyez irréprochables et purs, des enfants de Dieu** irréprochables au milieu d'une génération perverse et corrompue, parmi laquelle vous brillez comme des flambeaux dans le monde, portant la parole de vie ; et je pourrai me glorifier, au jour de Christ, de n'avoir pas couru en vain ni travaillé en vain. »
>
> (Phil. 2.13-16, gras ajoutés)

> « Or, à celui qui peut vous préserver de toute chute et vous faire paraître devant sa gloire irréprochables et dans l'allégresse, à Dieu seul, notre Sauveur, par Jésus-Christ notre Seigneur, soient gloire, majesté, force et puissance, dès avant tous les temps, et maintenant, et dans tous les siècles ! Amen ! »
>
> (Jude 24-25)

Commentaires

Lorsque nous obéissons sans nous plaindre ni discuter, nous ne tardons pas à connaître une stupéfiante transformation. Bien que ce monde actuel soit rempli de dépravation et de perversité, les ténèbres ne peuvent ni ternir, ni éteindre notre lumière. Regardez les étoiles dans l'univers : elles illuminent le ciel ténébreux d'une manière si belle que lorsque la vue est dégagée, on ne remarque plus les ténèbres, mais les étoiles scintillantes qui les transpercent. Lorsque le Seigneur baisse les yeux vers cette création obscure, il contemple la lumière que dégagent ses enfants. Brandissez la lampe de sa Parole, et elle indiquera la voie de l'espoir et de la vérité aux générations montantes.

Ces deux versets nous sont extrêmement chers, à John et à moi. Dieu peut réellement nous préserver de toute chute. Il nous soutiendra par sa Parole de vérité et il nous fera paraître devant sa gloire irréprochables avec une grande joie. On ne mentionne nulle part la honte. Dieu ne cherche ni à nous rejeter, ni à nous condamner. Au contraire, il a envoyé son Fils pour nous épargner tout cela. Sa promesse demeure maintenant et à jamais ! Elle est pour tous ceux qui sont au loin… c'est-à-dire pour vous ! Tremblez de joie à cette idée, emparez-vous en de tout votre cœur, et vous ne serez jamais plus le même.

> *Père céleste,*
>
> *Je viens à toi au nom de Jésus. Quand je regarderai les étoiles, je me souviendrai que tu vois la lumière en moi, et non mes ténèbres. Ta Parole illuminera toutes mes zones d'ombre ; elle sera la lampe qui brille sur mon sentier. Je me détourne de mes idées folles et de mes raisonnements erronés. Je crois que ce livre et ces vérités sont venus dans ma vie pour que je puisse marcher dans ta lumière. Je te remercie pour ce temps de transformation. Glorifie-toi dans ma vie. Dans toutes mes relations et dans tout ce que je fais, que ceux qui m'entourent puissent voir ton œuvre dans ma vie.*

Résolutions du jour :

_____

_____

_____

_____

Bilan de la journée

Réussites :

_____

_____

_____

_____

Confessions :

_____

_____

_____

_____

Liste du pardon :

_____

_____

_____

_____

Résolutions pour le lendemain :

_____

_____

_____

_____

Pensées et réflexions du jour :

_____

_____

_____

_____

Application

Quels points positifs puis-je voir en moi ?

_____

_____

_____

_____

AU SECOURS, JE VAIS EXPLOSER !

Comment ai-je progressé ?

_____

_____

_____

_____

VINGT-ET-UNIÈME JOUR (DIMANCHE)

Révisez les passages bibliques de la semaine et faites vos observations personnelles :

_____

_____

_____

_____

_____

_____

_____

_____

Idées d'applications pratiques

1. Reposez-vous, respirez l'air pur et profitez du soleil. Réjouissez-vous et bénissez le Seigneur pour sa création !

2. Organisez des dîners aux chandelles avec vos enfants. Cela aura un effet apaisant sur eux, comme cela en a sur vous.

3. Débarrassez-vous de ce qui provoque du mécontentement dans votre vie. Jetez à la poubelle tous les catalogues dans lesquels vous ne voulez rien commander. N'achetez que des magazines qui vous édifient et ne vous dépriment pas. Soyez reconnaissant pour ce que vous avez, et non envieux.

ÉPILOGUE

S i vous avez lu tout ce qui précède avec un cœur réceptif et que vous avez suivi le processus de renouvellement de votre esprit pendant trois semaines, vous n'êtes plus le même que lorsque vous avez ouvert ce livre. Avoir été confronté à la Parole de Dieu d'une façon aussi sérieuse que vous l'avez fait a dû, obligatoirement, vous transformer. Ce changement, évidemment, est parti de l'intérieur et va se manifester extérieurement. Je suis sûre que cette découverte de la vérité vous a fait mal. Souvent, les changements importants ne se produisent qu'au prix de grande souffrances. C'est ce qui s'est passé pour moi, mais cela en valait la peine. Ce qui m'a encouragée, c'est de savoir que le Seigneur forme et discipline soigneusement ses enfants ;

> « Et vous avez oublié l'exhortation qui vous est adressée comme à des fils : Mon fils, ne méprise pas le châtiment du Seigneur, et ne perds pas courage lorsqu'il te reprend ; car le Seigneur châtie ceux qu'il aime, et il frappe de la verge tous ceux qu'il reconnaît pour ses fils. Supportez le châtiment : c'est comme des fils que Dieu vous traite ; car quel est le fils qu'un père ne châtie pas ? »
>
> *(Hébreux 12.5-7)*

Vous avez courageusement entrepris certaines démarches. Vous avez osé affronter en face un point obscur de votre vie. Vous avez ouvert la porte de votre cœur et laissé la lumière de la Parole de Dieu révéler et résoudre le problème de votre fureur chronique. Trop de mariages, de relations et de familles se divisent à cause de la colère irrésolue. Je prie maintenant le Seigneur d'honorer les démarches que vous avez entreprises afin que vous puissiez renoncer pour de bon à vos vieilles habitudes passées. Engagez-vous à ne plus jamais retourner dans ces ruines destructrices. Prenez pour vous cette promesse de Dieu, et gardez-la dans votre cœur :

> *« Or, à celui qui peut vous préserver de toute chute et vous faire paraître devant sa gloire irréprochables et dans l'allégresse, à Dieu seul, notre Sauveur, par Jésus-Christ notre Seigneur, soient gloire, majesté, force et puissance, dès avant tous les temps, et maintenant, et dans tous les siècles ! Amen ! »*

(Jude 1.24-25)

Nous ne serons jamais parfaits, mais lui l'est. Même lorsque nous sommes infidèles, il demeure fidèle. Quand nous sommes faibles, il est fort. Appuyez-vous sur la puissante grâce de Dieu, et ne comptez plus jamais sur votre force illusoire.

TABLE DES MATIÈRES

Du même auteur...

La véritable mesure d'une femme

Éditions EPH • 240 p.

Retrouvez votre véritable valeur en Jésus-Christ et échappez ainsi aux caprices de l'opinion publique.

De John Bevere...

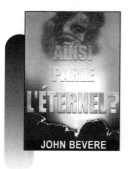

Ainsi parle l'Éternel ?

Éditions Ministères Multilingues • 240 p.

Apprenez à reconnaître clairement la voix de Dieu et à discerner la fausse de la vraie prophétie.

La crainte de l'Éternel

Éditions Ministères Multilingues • 240 p.

La crainte de l'Éternel, voilà la clé qui vous permettra de connaître Dieu véritablement et conformément à son désir. Un message qui bouleversera votre vie.